Volker Ludwig · Detlef Michel

Das hältste ja im Kopf nicht aus

Eine Grips-Produktion
für Hauptschüler, Realschüler,
Berufsschüler, Sonderschüler,
Gymnasiasten
und deren Geschwister, Freunde,
Eltern, Lehrer, Erzieher und
Ausbilder

von

Volker Ludwig und Detlef Michel
mit Musik von Birger Heymann
und Wilhelm Dieter Siebert
Songtexte: Volker Ludwig

Weismann Verlag

Das hältste ja im Kopf nicht aus
Eine GRIPS-Produktion für Jugendliche

Autoren: Volker Ludwig und Detlef Michel
Musik: Birger Heymann und Wilhelm Dieter Siebert
Songtexte: Volker Ludwig
Regie: Wolfgang Kolneder
Bühnenbild und Kostüme: Waltraut Mau
Szenenfotos: Helga Kneidl
Uraufführung: 18.9.1975

Die Personen in der Reihenfolge des Auftritts
(und die Besetzung der Uraufführung):

Person	Besetzung
Else Kowalewski, 34 Hausfrau.	Irmi Paulis
Thomas Kowalewski, 15, Hauptschüler.	Thomas Ahrens
Klaus-Dieter Kowalewski, 17, Postlehrling.	Wolfgang Immenhausen
Martina Kowalewski, 13, Hauptschülerin.	Ulrike Bliefert
Helga Schmidt, 30, Hauptschullehrerin.	Renate Küster
Berufsberater	Christian Veit
Doris Bieber, 15, Hauptschülerin	Gaby Go
Jürgen Braun, genannt Charlie, 15, Hauptschüler	Peter Seum
Sabine Lohmeier, 15, Hauptschülerin.	Erika Skrotzki
Peter Noack, genannt Schnulli, 16, Hauptschüler	Heinz Hönig
Hella, 22, Betreuerin im Jugendheim.	Inge Blau
Karl Kowalewski, 36, Lastwagenfahrer.	Dietrich Lehmann
Verkäuferin	Irmi Paulis
Vorgesetzter.	Christian Veit
Martin Wolf, 35, Heimleiter	Dietrich Lehmann
Dunja, 14, Klassenkameradin von Martina.	Irmi Paulis
Rektor Gabler.	Christian Veit
Kollege Queruleit	Wolfgang Immenhausen
und eine Rock-Band:	Ralf Schultze (git.)
	Birger Heymann (git.)
	Thomas Holm (dr.)
	Peer Forsberg (b.)
	Holger Münzer (key.)

Die Schauspieler sprechen in der GRIPS-Inszenierung teilweise stark Berliner Dialekt. Die Sprache sollte für jede Gegend entsprechend eingefärbt werden.

OUVERTÜRE

1. Bild

Wohnung Kowalewskis, Zimmer von THOMAS und KLAUS-DIETER, die in ihren Betten liegen und schlafen.

ELSA KOWALEWSKI: (eilt mit Jacke und Tasche durch's Zimmer, ruft nach nebenan) Martina! Aufstehen! (zu Thomas und Klaus-Dieter) Aufstehen! Habt ihr nicht gehört?! (sie geht zu Klaus-Dieter, streichelt ihm über's Haar) Frühstück ist in der Küche auf dem Tisch. (zu Thomas) Raus, raus, raus! (klappt die Decke auf, Thomas zieht sie wieder hoch) Ach, macht doch, was ihr wollt. (ab)

THOMAS: (tastet unter der Bettdecke nach seinem Kassettenrecorder, sein Kopf erscheint. Mühsam stellt er den Recorder an. Man hört eine Fußballreportage. Er setzt sich auf, reckt sich, posiert als Fußballheld, der den Beifall der Massen entgegennimmt.)

KLAUS-DIETER: (bewegt sich in seinem Bett, greift nach einem Schuh und wirft ihn in Richtung auf Thomas) Mach das Ding aus, du Pfeife!

THOMAS: Tolle Aufnahme, was? Hab ich original auf dem Platz gemacht. (zieht sich das Hemd an. Von nebenan dröhnt Musik)

MARTINA: (läuft verschlafen im Nachthemd durch's Zimmer)

KLAUS-DIETER: Musik aus! (Martina zeigt ihm einen Vogel)

THOMAS: (zu Martina) Machste Frühstück? (Martina zeigt ihm einen Vogel, ab in die Toilette, Thomas hinterher) Komm, laß mich erst, du brauchst doch Stunden. Los, mach auf, du Kuh! Deine Kuhfladen kannste später fallenlassen.

MARTINA: (off) Du machst doch sonst immer ins Küchenbecken.

THOMAS: Da biste wohl neidisch. (Klaus-Dieter ist unterdessen in Martinas Zimmer gegangen und hat die Musik abgestellt)

MARTINA: (kommt aus der Toilette, geht wütend in ihr Zimmer und stellt die Musik wieder an. Inzwischen ist Klaus-Dieter in der Toilette, und Thomas, der sich gerade eine Socke anzieht, hat wieder das Nachsehen)

THOMAS: (vor der Toilettentür) Halt! Ich! — Da freut er sich aber, unser kleiner Miefer. Hat er wieder sein Lieblingsplätzchen. (geht zu Klaus-Dieters Kleidungsstücken, macht einen Knoten in ein Hosenbein) Wer drei Jahre schön mieft und buckelt, wird bei der Post Obermiefer. Immer schön anstrengen. Auch wenn nur Kacke bei raus kommt. (man hört die Spülung)

KLAUS-DIETER: (erscheint) Hast wohl lange keinen mehr in die Fresse gekriegt, wa? (schlägt Thomas mit der Faust in den Bauch. Thomas geht zur Toilettentür, hält sich die Nase zu und taumelt zurück. Martina latscht mit Wäscheklammer und Strumpfhose wieder durch's Zimmer)

THOMAS: Gib mir mal die Klammer!

MARTINA: Was willste? (Thomas nimmt sich die Klammer, Martina geht ab in die Toilette)

THOMAS: Bei dem seinen Mief brauchste glatt 'ne Gasmaske. (klemmt sich die Klammer auf die Nase)

KLAUS-DIETER: Hast wohl immer noch nicht genug? (zu Martina, die gerade wieder aus der Toilette kommt) Raus hier!

MARTINA: Mußt du nicht zur Post?

KLAUS-DIETER: Bin krank.

MARTINA (ab)

THOMAS: Genau! Das riechste ja schon. (hebt Klaus-Dieters Bettdecke hoch)

KLAUS-DIETER: Du riechst! Du wäschst dich ja nicht mal.

THOMAS: Das ist nicht das Waschen, Drücker. Dein Mief, der kommt von innen! (im folgenden steht Klaus-Dieter auf, will auf Thomas losgehen, aber der erreicht zuerst die rettende Toilettentür) Aus'm Kopf, wo andere 'n Gefühl haben oder 'n Bock auf was, da ist bei dir 'n Klumpen Mief! (ab)

MARTINA:	(kommt zurück und wühlt unter Thomas' Bett)
KLAUS-DIETER:	Raus, hab' ich gesagt!
MARTINA:	Wenn ihr immer meine Schere klaut! (wühlt weiter)
KLAUS-DIETER:	(wirft ihr ein Kissen vor die Brust) Häng dich wenigstens zu. Ist ja ekelhaft, wie du rumläufst! (geht wieder ins Bett)
MARTINA:	Was haste denn gegen meine Reizwäsche? (findet ein Pornoheft) Was is'n das? (Klaus-Dieter steht wieder auf, nimmt ihr das Heft weg)
KLAUS-DIETER:	'n Porno. Das ist von Thomas! Mann, ist das 'ne Sau ... (blättert eifrig herum, als Martina hineinschauen will) Weg da! Ist nichts für Babies!
THOMAS:	(kommt zurück) Wer war an meinen Sachen?
KLAUS-DIETER:	(läßt ostentativ das Pornoheft in der Hand pendeln)
MARTINA:	(schlechtes Gewissen) Wenn ihr immer meine Schere klaut —?
THOMAS:	Gib das sofort her!
KLAUS-DIETER:	Ich glaube, diese Schweinerei zerreißen wir mal, dann brauch' ich das dem Alten nicht zu zeigen ...
THOMAS:	Ich muß das zurückgeben! Das gehört mir doch gar nicht.
KLAUS-DIETER:	Ach! Auch noch geklaut!
THOMAS:	Quatsch! Gib das her! Bitte. (zu Martina) Und du hau endlich ab, du Kuh!
MARTINA:	Faß mich nicht an, mit deinen Schwitzepfoten! (ab)
THOMAS:	Ewig latschen einem vier Typen auf den Zehen rum! Überall stecken sie ihren Zinken rein. (zu Klaus-Dieter) Warum ziehste nicht endlich aus?
KLAUS-DIETER:	Damit du hier endlos wichsen kannst, mh? An Weiber kommst du doch nicht ran, du Schlappschwanz ...
THOMAS:	Hast du 'ne Ahnung!
KLAUS-DIETER:	Mehr als du!
THOMAS:	Und Doris?
KLAUS-DIETER:	Warum gehste denn nie mit der weg?
THOMAS:	Mach'ich ja.
KLAUS-DIETER:	(interessiert) Ach nee!
THOMAS:	Ach ja!
KLAUS-DIETER:	Erzählen! (macht Anstalten, das Heft zu zerreißen)
THOMAS:	Erst wiedergeben.
KLAUS-DIETER:	(hält ihm das offene Heft hin) Macht ihr's so? (schlägt eine andere Seite auf) Oder so?
THOMAS:	(betont lässig) Das willste wohl wissen, Drücker, wa? (nimmt plötzlich ein Thermometer vom Stuhl)
KLAUS-DIETER:	Gib das Thermometer her!
THOMAS:	Zweiundvierzig! Plump wie alles bei dir! (schlägt das Thermometer herunter) Was spielste denn schon wieder krank, du Strebersau? (wirft das Thermometer Klaus-Dieter auf das Bett, der nimmt es an sich, so daß Thomas schnell das Pornoheft greifen kann)
KLAUS-DIETER:	(reibt an dem Thermometer) Damit ich hier in Ruhe lernen kann, du Wichspiepe! Für den Qualifizierungstest.
THOMAS:	Ach ja? Mit dem kommste dann wohl ganz groß raus. (geht zu seinem Bett zurück und steckt das Pornoheft unter die Decke)
KLAUS-DIETER:	Allerdings. Glaubst du, ich will mein Leben lang Marken kleben? Los, ab! Warum biste noch nicht in der Schule?
THOMAS:	Weil ich das nicht brauche, weil ich sowieso was ganz anderes werde als so'n Beamtenarsch wie du.
KLAUS-DIETER:	Fernsehreporter.
THOMAS:	Wetten, daß?
MARTINA:	(tritt auf) Und den Kamm habt ihr auch geklaut.
KLAUS-DIETER/THOMAS:	Raus hier!
KLAUS-DIETER:	Ich kann die Ziege nicht mehr hören.

MARTINA:	Und ich kann euch nicht mehr sehen.
THOMAS:	Dann mach 'ne Flocke!
MARTINA:	Das ist nicht eure Wohnung!
KLAUS-DIETER/THOMAS:	Raus!!!
MARTINA:	(schmeißt wütend ihre Bürste auf den Boden. Es klingelt. Martina läuft zur Tür, kommt mit Jacke und Tasche zurück) Hey, Tommi. Deine Freundin!
THOMAS:	Wie?! (zieht das Bettzeug zurecht. Frau Schmidt, seine Lehrerin, kommt ins Zimmer)
KLAUS-DIETER:	(prustet sehr vernehmlich)
FRAU SCHMIDT:	Guten Morgen, die Herren!
KLAUS-DIETER:	Seit wann heißen Sie Doris?
SCHMIDT:	Wieso?
KLAUS-DIETER:	War ja nur 'ne Frage. (Martina kichernd ab)
THOMAS:	Jetzt rennen einem die Lehrerinnen schon am frühen Morgen die Bude ein!
SCHMIDT:	Möchtest du lieber, daß dich die Polizei holt? Ich renn' doch nicht zum Spaß die Treppen hoch. Ich wollte nur sichergehen, daß du wenigstens heute mal erscheinst.
THOMAS:	Wenigstens! Letzte Woche war ich dreimal da.
KLAUS-DIETER:	(hält das Pornoheft hinter dem Rücken) Ich hab' da 'ne Frage, Frau Lehrerin. Sie sind doch so modern. Ich mach' mir nämlich Sorgen um meinen Bruder. Wenn Thomas sowas aus Ihrem Unterricht mitbringt, ja — — (reicht ihr das Heft) — müssen Sie doch wissen —
SCHMIDT:	(wirft einen kurzen Blick auf das Heft und reicht es Thomas. Zu Klaus-Dieter) Was die Schüler in ihrer Freizeit lesen, ist ihre Sache.
KLAUS-DIETER:	Das können doch nicht machen, Frau Lehrerin! Dafür kann man Sie anzeigen, von wegen Verführung Minderjähriger!
SCHMIDT:	Nun mach dir mal nicht ins Hemd, mein Junge! (zu Thomas) Können wir jetzt? Der Berufsberater kommt nämlich deinetwegen. Ich hab' schon einen Beruf. (ab)
THOMAS:	(im Abgehen zu Klaus-Dieter) Blöde Sau! (ab)
KLAUS-DIETER:	(will zu seinem Bett, stoppt, holt sich das Pornoheft, legt sich ins Bett und blättert)

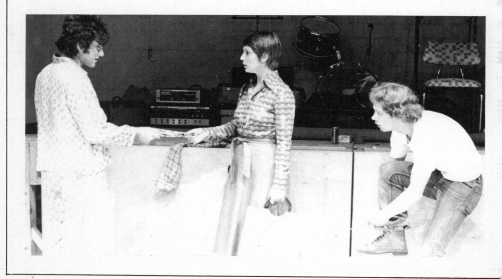

RAUS, NUR RAUS HIER!

=Rock=

Raus, nur raus hier rausaus diesem Loch! Raus, nur raus hier
rausaus diesem Loch, wo ewig einer / dem Krach und Zaff in
kreischt und knatscht / ei- ner Tour
und in / und dem   unter — wäsche durch die / volle — ge-kotzten   Bude latscht / Treppenflur
Raus, nur raus hier, rausaus disem Loch, ich —
halt das hier nicht mehr aus — ! Ich will hier raus!

=langs. Walzer=

Weit von hier
träumen tausend Bräute von mir nach jedem
Inter- view, das ich ganz groß im Fern — sehn
für!

da capo al fine

Song: RAUS, NUR RAUS HIER

ALLE: Raus! Nur raus hier!
                         Raus aus diesem Loch!
                         Wo ewig einer kreischt und knatscht
                         Und in Unterwäsche durch die Bude latscht!
                         Raus! Nur raus hier!
                         Raus aus diesem Stall!
                         Dem Krach und Zoff in einer Tour
                         Dem vollgekotzten Treppenflur
                         Raus! Nur raus hier!
                         Raus aus diesem Loch!
                         Ich halt' das hier nicht mehr aus!
                         Ich will hier raus!

THOMAS: Weit von hier
                                     Träumen tausend Bräute von mir
                                     Nach jedem Interview
                                     Das ich ganz groß im Fernseh'n führ

ALLE: Raus! Nur raus hier!
                         Raus aus diesem Loch!
                         Ich halt' das hier nicht mehr aus!

MARTINA: Weit von hier
                                     Am blauen Meeresstrand
                                     Blickt mich Chris Roberts an
                                     Hält meine Hand mit verzehrendem Blick

ALLE: Raus! Nur raus hier!
                         Raus aus diesem Loch!
                         Ich halt' das hier nicht mehr aus!

KLAUS-DIETER: Weit von hier
                                     Wird mein Zuhause sein
                                     Ein kleines Eigenheim
                                     Und ein Ford vor meiner Tür

ALLE: Raus! Nur raus hier!
                         Raus aus diesem Loch!
                         Wo ewig einer kreischt und knatscht
                         Und in Unterwäsche durch die Bude latscht!
                         Raus! Nur raus hier!
                         Raus aus diesem Stall!
                         Dem Krach und Zoff in einer Tour
                         dem vollgekotzten Treppenflur
                         Raus! Nur raus hier!
                         Raus aus diesem Loch!
                         Ich halt' das hier nicht mehr aus!
                         Ich will hier raus!

2. Bild

Klassenzimmer. FRAU SCHMIDT, BERUFSBERATER. Er hat einen Karteikasten mitgebracht, in dem er ein paar Stellenangebote aufbewahrt.

SCHMIDT:	Also, vielen Dank, daß Sie noch mal hergekommen sind.
BERUFSBERATER:	Aber ich bitte Sie! Dafür werde ich ja bezahlt.
SCHMIDT:	Es geht ja auch bloß um die fünf, die mir im Moment die größten Sorgen machen. (überreicht ihm fünf Karteikarten)
BERUFSBERATER:	(sieht sich die Unterlagen an) Na, wollen wir mal sehen ... (wühlt in seinem Kasten herum) Mein Schatzkästlein: Schlosserei Weber sucht einen Lehrling, Bedingung: zehnte Klasse. Kaufmännischer Lehrling, mindestens zehnte Klasse. Kaufmännischer Lehrling — Abitur. Tischlerlehrling, Bedingung: zehnte Klasse und so weiter und so weiter. Ja, da bleibt nicht viel übrig ...
SCHMIDT:	Da kann man wirklich nur auf Wunder hoffen.

(Zwischenmusik)

DORIS BIEBER sitzt dem Berufsberater gegenüber.

BERUFSBERATER:	(liest) Doris Bieber. — Setzen Sie sich doch, Fräulein Bieber. Sie hatten sich gedacht —
DORIS:	Sekretärin.
BERUFSBERATER:	Hier steht „Chef"-Sekretärin.
DORIS:	Naja, das mit dem Chef, wa, das kommt vielleicht nicht so zum Klappen...
BERUFSBERATER:	Der Haken ist, daß es wohl auch mit der Sekretärin nicht so zum Klappen kommt. Sie gehen nach der neunten ab?
DORIS:	Was soll ich denn noch in der Schule, wa?
BERUFSBERATER:	(mustert sie) Ihr Argumente überzeugen mich, Fräulein Bieber. Und für welches Berufspraktikum haben Sie sich entschieden?
DORIS:	Bürohilfe, bei Lenz und Co.
BERUFSBERATER:	Sie wissen, daß man sich nach Stenotypistinnen keineswegs mehr die Finger leckt?
DORIS:	(nach langer Pause) Aber ich hab'n Bekannten, wa, und der hat gesagt — weil, der arbeitet in so 'ner Firma ... (Pause)
BERUFSBERATER:	Na, was sagt er? (Pause) Das ist ja nicht gerade viel. Ich geb' Ihnen hier mal 'ne Adresse. (reicht ihr einen Zettel)
DORIS:	(stiert auf den Zettel) Reifen-Kühn. War ich doch schon. Die haben doch keine Lehrstellen.
BERUFSBERATER:	Das nicht. Aber die brauchen immer mal 'ne Aushilfe. (erhebt sich)
DORIS:	Das haben die mir auch gesagt, das will ich aber nicht!
BERUFSBERATER:	Dann kann ich Ihnen nicht helfen. — Nu lassen Sie man nicht den Kopf hängen — Sie haben doch das ganze Leben noch vor sich — und 'n netten Eindruck machen Sie auch — Also dann!

(Zwischenmusik)

JÜRGEN BRAUN, genannt Charlie, sitzt dem Berufsberater gegenüber.

BERUFSBERATER:	(liest) Jürgen Braun!
CHARLIE:	Bin ich.
BERUFSBERATER:	Was wollen wir denn werden?
CHARLIE:	Kfz-Schlosser.
BERUFSBERATER:	(lacht) Weißt du eigentlich, daß Mondfahrer, Kfz-Schlosser und Urwaldforscher zur Zeit die Berufe mit den geringsten Chancen sind?
CHARLIE:	Mondfahrer! Das hältste ja im Kopf nicht aus!
BERUFSBERATER:	Hast du dich denn schon mal spaßeshalber um 'ne Lehrstelle bemüht?
CHARLIE:	Spaßeshalber! Das hältste ja im Kopf nicht aus!
BERUFSBERATER:	Ja oder nein?
CHARLIE:	Ja! Viermal!

BERUFSBERATER:	Na und?
CHARLIE:	Hab' ich eben noch kein Glück gehabt.
BERUFSBERATER:	Glück! Glück! Wie wär's denn mit der zehnten Klasse?
CHARLIE:	Für'n Kfz-Schlosser? Das hältste —
BERUFSBERATER:	— ja im Kopf nicht aus. In drei Jahren brauchste dafür Abitur, mein Lieber. Abitur!
CHARLIE:	Komm' ich nicht mehr rein, in die zehnte. Hätte man einem ja was sagen können, daß ich die brauche, wa? Woher soll ich denn das wissen?!
BERUFSBERATER:	Muß es denn Schlosser sein? Vielleicht finden wir sogar was Besseres für dich. Du machst doch gern was mit den Händen! Du bist doch da sicherlich geschickt. (Charlie zuckt mit den Schultern) Warum nicht ein Beruf, wo du täglich etwas Neues herstellst? In einem modernen, piksauberen Betrieb —?
CHARLIE:	Was denn herstellen?
BERUFSBERATER:	Reizt dich sowas?
CHARLIE:	(zuckt mit den Schultern) Klar ...
BERUFSBERATER:	Also dann — (gibt ihm eine Adresse) Geh da mal hin. Is'n Geheimtip von mir.
CHARLIE:	(liest) Bäcker! Schrippen backen!
BERUFSBERATER:	Brot backen! Na und? — Aber zieh dir was Anständiges an, wenn du dich da vorstellst!
CHARLIE:	Bäcker!
	(Zwischenmusik)

THOMAS KOWALEWSKI, lehnt sich über die Stuhllehne.

BERUFSBERATER:	(liest) Thomas Kowalewski!
THOMAS:	Weiß ich.
BERUFSBERATER:	Ah, ein Witzbold. — Berufswunsch?
THOMAS:	Fernsehtechniker.
BERUFSBERATER:	Fernsehtechniker!
THOMAS:	Ist das so witzig?
BERUFSBERATER:	Weißt du eigentlich, daß Mondfahrer, Fernsehtechniker und Urwaldforscher zur Zeit die drei Berufe mit den geringsten Chancen sind?
THOMAS:	(setzt sich rittlings auf den Stuhl) Eigentlich will ich ja Fernsehreporter werden — —
BERUFSBERATER:	Warum nicht Millionär? Davon haben wir nicht so viele! Und die zehnte Klasse?
THOMAS:	Das ist ja der größte Witz.
BERUFSBERATER:	Wieso?
THOMAS:	Ich schaff' nämlich nicht mal die neunte!
BERUFSBERATER:	Das hältste ja im Kopf nicht aus — —
THOMAS:	Wenn ich da erst mal drin bin in dem Laden, komm' ich auch hoch!
BERUFSBERATER:	Natürlich.
THOMAS:	Wetten, daß?
BERUFSBERATER:	Wetten, daß nicht? Kommste denn überhaupt rein? Nein! Machste wenigstens ein Berufspraktikum?
THOMAS:	Lenz und Co., die haben 'ne Fotoabteilung, da kann ich dann auf Standfotograf machen, und dann rüber auf Kameramann. Ist überhaupt 'n viel besserer Einstieg ins Fernsehen.
BERUFSBERATER:	Und das alles mit der neunten Klasse. — Ich hätte ja was ... Gerade für'n Typ wie dich. Wo man schnell — mit 'ner leichten Hand — zum Genuß der Menschheit beitragen kann — in einem modernen piksauberen Betrieb! Is'n Geheimtip von mir...
THOMAS:	Bäcker! Hab' ich schon gehört.
BERUFSBERATER:	Richtig. Warum nicht?
THOMAS:	Ist nichts für mich!

BERUFSBERATER:	Dann ist dir nicht zu helfen!
THOMAS:	(steht auf) Brauch' keine Hilfe.
BERUFSBERATER:	Na denn! Wenn du oben bist, schreibste mir mal 'ne Ansichtskarte. (Zwischenmusik)

SABINE LOHMEIER sitzt dem Berufsberater gegenüber.

BERUFSBERATER:	Sabine Lohmeier.
SABINE:	Guten Tag.
BERUFSBERATER:	„Guten Tag''? Sie machen mir Spaß ... (wühlt in seinen Papieren) Sie sind fünfzehn, Sabine?
SABINE:	Ja.
BERUFSBERATER:	Und Sie wollten mal werden —?
SABINE:	Erzieherin ...
BERUFSBERATER:	Warum nicht gleich Medizinerin? —Ich geb's auf ... Ich häng' meinen Beruf an'n Nagel ... Und mich gleich dazu ...
SABINE:	Wenigstens Säuglingsschwester ...
BERUFSBERATER:	Zehnte Klasse?
SABINE:	(schüttelt den Kopf) Ich hab' ja gute Noten. Aber meine Eltern erlauben es nicht.
BERUFSBERATER:	(in sich hinein) Für die müßte man die Prügelstrafe einführen ...
SABINE:	Was Sie so reden — — Die Eltern verstehen's nicht besser.
BERUFSBERATER:	Erzähl mir nichts. Ich kenn' mich aus mit Eltern, deren Kinder andere Kinder hätscheln wollen. — Hast du den Test gemacht beim Arbeitsamt?
SABINE:	Meinen Sie das im Ernst?
BERUFSBERATER:	Das ist allerdings 'ne Frage.
SABINE:	Die Jungen haben einen Draht zum Biegen gekriegt, und die Mädchen ein Papier zum Fächerfalten. Und dann hat mir die Alte gesagt, ich eigne mich mehr für's Büro.
BERUFSBERATER:	(schüttelt den Kopf)
SABINE:	Meine Freundin wollte Schaufensterdekorateurin werden. Der haben sie zur Fischverkäuferin geraten und gesagt, da kann sie bestimmt auch mal einen Kasten Bücklinge ins Fenster stellen.
BERUFSBERATER:	Du kannst wirklich nicht die zehnte Klasse machen? Hat deine Lehrerin mit deinen Eltern geredet?
SABINE:	Viel zu oft.
BERUFSBERATER:	Und nun?
SABINE:	Was sagen S i e denn?
BERUFSBERATER:	Als Erzieherin — da gehst du doch gern mit Menschen um. Da wär doch Verkäuferin das Geeignete. (hält ihr Adressen hin)
SABINE:	Verkäuferin? — Und wenn ich achtzehn bin, die zehnte Klasse nachmachen —
BERUFSBERATER:	— wenn du nicht vorher geheiratet hast.
SABINE:	Kinder will man ja auch haben ...
BERUFSBERATER:	Zwei ...
SABINE:	Zwei — — ja, warum?
BERUFSBERATER:	Alle wollen zwei. Wie die Rama-Frühstücksfamilie. — Na gut, ich red' noch mal mit deiner Lehrerin.
SABINE:	Wozu denn? (Zwischenmusik)

PETER NOACK, genannt Schnulli, steht halb abgewandt vor dem Berufsberater.

BERUFSBERATER:	(liest) Noack, Peter! — Setz dich doch, Peter! (Schnulli rührt sich nicht) Also, ich heiße Heinz Breischläger. Alle meinen Namen betreffenden Witze sind bekannt und erscheinen demnächst im Buchhandel. — Also schauen wir mal, was wir so auf der Palette haben. Hm? (liest in den Unterlagen) Zehnte Klasse aussichtslos. Abschlußzeugnis unwahrscheinlich.

Berufswunsch: durchgestrichen. In vier Monaten ist es soweit. Und was dann? – Blöde Frage, wie? (Schnulli zeigt keine Regung) – Ich hab' hier was. Bäcker. Brot backen. Das ist was! – Naja, die nehmen nicht jeden ... Aber: Kaminkehrer – – die suchen. Aber, ob sie dich gerade suchen – – – die Gärtnerei! 'ne gesunde Sache! Biste immer an der frischen Luft – nicht? Geh doch mal hin! Zieh dir andere Klamotten an, kämm dir die Haare – kannste ja mal machen –, und dann versuchst du's einfach mal – unmöglich ist nichts ... (sieht ihn abwinkend an) Naja ...

SCHNULLI:	Es gibt nur zwei Sachen, die man machen kann –
BERUFSBERATER:	Zwei??
SCHNULLI:	Bulle oder Bruch!
	(Zwischenmusik)

3. Bild

Schulhof. CHARLIE und SCHNULLI stehen an einer Mauer gelehnt und essen Pommes frites. Die Mädchen sitzen. SABINE ißt ein Butterbrot, DORIS hantiert mit Schminksachen. THOMAS spielt mit einer leeren Cola-Flasche.

DORIS:	Das war vielleicht 'n Eierkopp!
CHARLIE:	Bäcker. Bei dem tickt's ja wohl nicht richtig.
THOMAS:	Der müßte selber mal zum Berufsberater! (FRAU SCHMIDT kommt dazu, ißt einen Apfel)
SCHNULLI:	Hört doch auf mit der Napfsülze!
SABINE:	Mann, der kann doch nichts dafür, daß es keine Stellen gibt. Was soll der schon machen?
SCHMIDT:	Die Berufsberatung hat nicht viel gebracht, was?
SCHNULLI:	Doch – mir ja!
SCHMIDT:	Ja, was denn?
SCHNULLI:	Zum Lachen hat der mich gebracht!
SCHMIDT:	Sabine hat schon recht: Der Mann gibt sich bestimmt Mühe. An der Wirtschaftskrise ist der nun wirklich nicht schuld. Der ist nur ein ausführendes Organ.
SCHNULLI:	Was ist'n das für 'ne Sauerei? (die anderen lachen)
SCHMIDT:	Naja, jetzt macht man erst mal euer Praktikum ... Es bleibt also dabei: Thomas und Doris, ihr beide geht zu Lenz und Co.
DORIS:	Ich will nicht mehr!
SCHMIDT:	Was ist denn nun los? Warum denn nicht?
DORIS:	Ist doch Quatsch von wegen Sekretärin! Klappt sowieso nicht. Was soll ich denn da bei Lenz und Co.?
SCHMIDT:	Ausprobieren, ob dir so etwas überhaupt liegt. (setzt sich zu Doris)
DORIS:	Liegt mir nicht.
SCHMIDT:	Aha. Und was denkst du dir so?
CHARLIE:	Denken! Kann die doch gar nicht!
SABINE:	Aber du, wa?
SCHMIDT:	Ich kann dich höchstens mit Charlie bei Kaufheim unterbringen.
SCHNULLI:	Charlie macht Karriere als Wollsockenverkäufer!
SCHMIDT:	Wie ist das mit dir, Sabine? Hast du denn Lust, mit Thomas zu gehen?
DORIS:	Sabine geht mit Thomas –!
SCHMIDT:	Zu Lenz und Co.
SABINE:	Mach' ich auch.
CHARLIE:	Was soll ich eigentlich bei Kaufheim?
SCHNULLI:	Ich komm' mal vorbei, und dann verkaufste mir hundert Gramm Sülze, Schweinekopf.

SCHMIDT:	(zu Schnulli) Aber erst nach der Schule. Vormittags gehst du in die Parallelklasse. Denk ja nicht, daß du hier statt Praktikum Urlaub machen kannst!
SCHNULLI:	Praktikum! Ist doch Schwund! Betrug!
SCHMIDT:	Jetzt mach aber mal 'nen Punkt. Gegen das Berufspraktikum ist überhaupt nichts zu sagen. Im Prinzip jedenfalls nicht. Da lernt ihr einen Betrieb kennen und könnt ausprobieren, welche Arbeit euch liegt.
SCHNULLI:	Es gibt doch gar keine offenen Stellen. Los, Charlie, laß doch mal ab, was gestern war, in der Radiobude!
SCHMIDT:	Du warst mit?
SCHNULLI:	(angewidert) Ja.
CHARLIE:	Also, ich war gestern mit Schnulli in so'ner Radiobude. Sagt der Typ: „Tut mir leid, mein Junge, aber das geht leider nicht, mein Junge, tut mir wirklich leid, mein Junge, aber du wirst schon was finden, mein Junge." — Sagt Schnulli zu mir: „Jetzt weißte wenigstens, wer dein Vater ist." (alle, außer Thomas, lachen. Thomas baut sich vor den Mädchen auf)
THOMAS:	Ja, ja, Schnulli ist der Größte.
CHARLIE:	(drohend auf Thomas zu) Meinste, ich spinne?
THOMAS:	Wieso denn?
CHARLIE:	Genau so war's.
THOMAS:	Hab' ich was anderes gesagt? Ich hab' gesagt: „Schnulli ist der Größte." (zu Schnulli) Stimmt's?
SCHNULLI:	Stimmt, Charlie. Hat er gesagt. (Charlie zieht sich zurück)
SCHMIDT:	(steht auf) Mit der Klappe seid ihr alle die Größten. Aber wenn der Berufsberater kommt, fallt ihr aus den Wolken. Und wenn man mit euch mal über die tieferen Ursachen dieser Krise reden will ...
THOMAS:	(meldet sich) Weiß ich. Das ist das System, das kapitalistische.
SCHMIDT:	So —? Ja —? Und wieso?
DORIS:	Weil das immer so ist, wenn Sie was von tieferen Ursachen sagen.
SCHMIDT:	(geht zu Doris) Wenn gerade du mal nachdenken würdest —
CHARLIE:	Kann die doch nicht! (die Jungen lachen)
SABINE:	(sauer) Ha — ha!
SCHMIDT:	Jetzt macht ihr noch Witze. Ich wünsche euch, daß ihr das in einem halben Jahr auch noch könnt! Aber ich seh's nicht.
THOMAS:	Und warum seh'n Sie's nicht?
SCHMIDT:	Thomas: Wenn ihr jetzt die Schule verlaßt, müßt ihr euch verkaufen — eure Arbeitskraft. Was anderes habt ihr nicht. Solange es genügend offene Stellen gab, fiel das nicht so auf. Aber jetzt, wo es zu wenig Arbeitsplätze gibt, seid ihr aufgeschmissen. Da wird eure Arbeitskraft nicht mehr gebraucht. In der kapitalistischen Wirtschaft richtet sich nun mal alles nach dem Profit, nach dem Gewinn, und nicht nach den Bedürfnissen der Menschen, sonst funktioniert's nicht.
CHARLIE:	Ich dachte, wir haben Pause!
SCHMIDT:	(setzt sich zu Doris und Sabine) Es ist also nicht eure Schuld, weil ihr zu dumm wärt oder so, wenn ihr keine Stelle kriegt. Eure Arbeitskraft ist eine Ware, die auf dem Arbeitsmarkt gehandelt wird wie ein Stück Butter und die einen Gebrauchswert und einen Tauschwert hat. Und in Zeiten wie jetzt — (die Jungen haben miteinander geflüstert, die Mädchen ebenfalls. Die Jungen prusten los) Was ist denn?
SCHNULLI:	Sie reden immer von Gebrauchswert und Tauschwert. Wo bleibt'n da der Nährwert? (alle Schüler lachen übertrieben) (Zwischenmusik)

4. Bild

Freizeitheim. HELLA sitzt am Tisch und liest. DORIS und SABINE kommen mit Schulmappen.

DORIS:	Hey!
SABINE:	Tach, Hella!
HELLA:	Hey! — Habt ihr heute eher aus?
SABINE:	Herr Kurtze ist krank. — Das ist in dem Monat schon die zwölfte Fehlstunde.
DORIS:	Herr Kotze kotzt mal wieder. Hoffentlich erstickt er dran. (mimt Würgen, dann holt sie eine Zeitschrift aus der Schultasche und legt sich auf eine Matratze)
HELLA:	(steht auf) Wollt ihr was trinken?
DORIS:	Cola!
SABINE:	Ich zahl' für dich mit.
DORIS:	Kriegste nachher wieder. (Hella geht hinter den Tresen, läßt ihr Buch liegen)
SABINE:	(blättert in dem Buch) Was liest'n da?
HELLA:	Hat mir'n Typ geliehen.
SABINE:	Lieste sowas öfter? Verstehste das denn?
HELLA:	Ist gar nicht so schwer ... Wenn du erst mal drin bist ...
SABINE:	„Gruppendynamische Prozesse". — Ist das was über's Gericht?
DORIS:	(zeigt eine Seite aus der Zeitschrift) Wie findste'n den? Ist der nicht süß? (Sabine reagiert nicht) Und dem sein Bungalow —! Heiß! Vor zwei Jahren hat er nicht mal Geld für'n Anzug gehabt. Steht da.
HELLA:	(setzt sich zu Sabine) In dem Buch steht, daß die Leute von der Hochboxerei und dem ewigen Konkurrenzdenken genug kriegen und wie sie versuchen, zu relaxen.
SABINE:	Hä?
HELLA:	Sich zu öffnen und in Gruppen miteinander zu leben, statt gegeneinander ...
SABINE:	(geht zu Doris und setzt sich) So'n Quatsch! Das geht doch gar nicht. Wer kann sich denn sowas leisten?
HELLA:	(geht zu den beiden, hockt sich hin) Kannste dir vielleicht leisten, einfach so weiterzuleben?
DORIS:	Hör doch auf zu sülzen! Die Kirche ist nebenan! Das hier is'n Freizeitheim! (zu Sabine) Die spinnt doch.
HELLA:	Stellt euch doch mal vor, in eurer miesen Klasse, wenn ihr 'ne dufte Gruppe wärt, wo jeder zusammenhält — —
DORIS:	Mann, geht mir das auf'n Keks —
SABINE:	Du redest vielleicht 'n Scheiß. Mit den Typen von der Hauptschule geht sowas nie. Da sitzt doch nur der Abfall, der letzte Dreck, den kein anderer haben will. Da muß jeder selber seh'n, wie er zurechtkommt.
HELLA:	(erregt) I h r redet einen Scheiß! Seht euch doch mal die Typen von den anderen Schulen an! Wollt ihr vielleicht so sein wie die?
SABINE:	Nee. Aber wir wollen's so haben wie die!
(SCHNULLI und CHARLIE erscheinen. Renommiergehabe wie im Saloon)	
DORIS:	Kuck mal, die Babies kommen! (Charlie und Schnulli setzen sich an den Tisch, knallen zwei Flachmänner auf die Tischplatte)
CHARLIE:	Was is, Frau Wirtschaft? Zwei Pils und zwei Doppelte.
HELLA:	Für Kinder gibt's keinen Alkohol. Außerdem müßt ihr heim zu Mammi, sonst kriegt ihr Ärger.
(THOMAS ist unbemerkt eingetreten, bleibt an der Tür stehen)	
SCHNULLI:	Aber Hella nimmt einen zur Brust. (Hella zeigt ihm einen Vogel. Schnulli steht auf. Bedrohlich) Das war wohl nichts, wa? (er hält ihr die Flasche hin. Es geht um sein Prestige. Ändert die Tonart) Bitte ...

THOMAS:	Spannung.—! (die Atmosphäre ist damit gelöst)
HELLA:	(schaut sich um, dann nimmt sie einen winzigen Schluck) Aber jetzt steckt sie weg! Ich bring'euch zwei Cola.
SCHNULLI:	(schnüffelt, ruft) Hey Hella, hier riecht's ja so komisch! (schnüffelt in Mädchen-Richtung) Uh! Ein Gestank! Wie das Parfum von der Bieber!
DORIS:	Ein Idiot!
HELLA:	(kommt mit Colaflaschen, sieht, daß Schnulli und Charlie ihre Flaschen noch in der Hand halten) Steckt die Dinger weg, oder ihr fliegt raus! (stellt Colaflaschen auf den Tisch)
SCHNULLI:	Äih!
HELLA:	Ich finde euch beschissen, wenn ihr trinkt! Einfach bekloppt! Genügen euch eure Alten nicht?
CHARLIE:	Haste das gehört, Schnulli?
SCHNULLI:	Du spinnst wohl, wa?
HELLA:	Ach, leckt mich doch —! (will ab)
CHARLIE:	Au ja!
HELLA:	Du? Du würdest glatt 'n Herzschlag kriegen, du Angeber ... (ab) (die Mädchen prusten)
THOMAS:	(spielt Reporter) Tor! Tor! Das war das Tor des Monats! Nach einem Geplänkel im Mittelfeld mit Libero Schnulli verliert Hella BSC den Ball. Charlie setzt nach, doch da kommt Hella BSC noch einmal auf mit einem unwahrscheinlichen Konter und (geht auf Charlie zu und fährt mit der Hand von unten zwischen Charlies Beine) schießt das Leder zwischen den Beinen Charlies durch in die Maschen. Charlie ist wie gelähmt.
CHARLIE:	(steht auf) Sag mal, du spinnst doch wohl?
SCHNULLI:	(ganz ruhig zu Charlie) Setz dich hin, du Pfeife! (Charlie setzt sich)
CHARLIE:	Ich glaub', ich steh' vor der Tür ... (will wieder aufstehen)
SCHNULLI:	(drückt ihn zurück auf den Stuhl, steht auf. Zu den Mädchen) He, ihr!
DORIS:	Was'n nu kaputt? (zu Sabine) Heißt du „He"?
SABINE:	Heißt du „ihr"?
DORIS:	Muß ja wohl 'ne Verwechslung sein ...
SCHNULLI:	Seid ihr so bekloppt oder tut ihr nur so?
SABINE:	Wovon redest'n du?
SCHNULLI:	Geht ihr wirklich am Montag zum Praktikum? Zu Lenz und so?
SABINE:	Ich wollte eigentlich sowas für behinderte Kinder ...
CHARLIE:	Da paßt sie genau hin ... (Schnulli schmeißt ihn mit dem Stuhl um. Anerkennend) Mensch, Schnulli, das war'n Schlag!
DORIS:	Ist doch scheißegal, wo man hingeht.
SCHNULLI:	Warum macht ihr's dann überhaupt, ihr Schnepfen? Drei Wochen malochen für nichts. Die nehmen euch doch sowieso nicht nach der Schule.
SABINE:	Und was willst du machen nach der Schule?
SCHNULLI:	Du kannst heute nur noch eins machen, und das hab' ich der Pfeife vom Arbeitsamt auch gesagt — —
DORIS:	Hör bloß mit dem auf!
SCHNULLI:	Entweder Bulle — oder Bruch! Klauen! Entweder von oben draufhau'n oder von unten!
SABINE:	Die Bullen nehmen dich auch nicht mehr.
SCHNULLI:	Na, dann ist das Ding ja schon gelaufen, Süße! Willste vielleicht verhungern? Nicht mal Stütze kriegste nach der Schule. Die machen dich fertig! Schmeißen dich glatt auf die Straße! Da gibt's doch nur eins: Draufhau'n

− ICH HAU' ZURÜCK =

Schon am Morgen früh' um sechse fängt der Terror an —
da schlägt der alte Süffkopp zu weil er's
Bier nicht finden kann! Auf der Straße, da komm'se dir
däm lich, In der Schule ist der Terror to-tal — ! Alle
Meter kriegst'n Ding vor die Glocke Da ist dir bald alles to-
-tal e-gal!
Ich hau' zu rück, ich hau zurück, hab' ich vielleicht angefang
Keen Stück! Keen Stück! Da gibts 'ne Men-ge
Nie—ten, die lassen sich alles bie-ten —, doch
ich sage Dir nicht mit mir — Junge!—
nicht mit mir — ! Ich hau' zurück - - - - -

Song: ICH HAU ZURÜCK

SCHNULLI und
CHARLIE:

Schon am Morgen um sechse
Fängt der Terror an
Da schlägt der alte Suffkopp zu
Weil er's Bier nicht finden kann
Auf der Straße, da komm'se dir dämlich
In der Schule ist der Terror total
Alle Meter haun'se dir'n Ding vor die Glocke
Da ist dir bald alles ganz egal:

REFRAIN:

Ich hau' zurück
Ich hau' zurück
Hab' ich vielleicht angefangen?
Kein Stück!
Da gibt's 'ne Menge Nieten
Die lassen sich alles bieten
Doch ich sage dir: Nicht mit mir!
Junge — nicht mit mir!
Ich hau' zurück
Ich hau' zurück
Hab' ich vielleicht angefangen?
Kein Stück!

Kommste runter von der Penne
Läufste voll auf'n Hammer, aber wie!
Keine Arbeit, keine Bleibe, keine Mäuse
Doch die oben scheffeln Kohlen wie nie!
Die lassen dich glatt verrecken
Aber mach dir nix draus, oh Mann
Die Bosse woll'n bloß eben mal checken
Was man alles mit uns machen kann!

REFRAIN

5. Bild

Wohnung Kowalewskis, Wohnzimmer. ELSA KOWALEWSKI kommt abgehetzt von der Arbeit.
Sie ist vollbepackt mit Einkaufstaschen, zieht Mantel aus, Schürze über, blickt auf die Uhr, er-
schrickt und eilt in die Küche. Tellergeklapper.

KARL KOWALEWSKI: (mit Reisetasche, Stofftier und einem Päckchen, betritt die Wohnung.
                Er bleibt stehen) Elsa —!
ELSA: (eilt auf ihn zu) Karl! Du bist schon da?
KARL: Was'n sonst? (er läßt sich ohne Reaktion auf die Wange küssen. Elsa
                nimmt ihm die Reisetasche ab) Wo sind die Kinder?
ELSA: Ach, die müssen gleich kommen. Ich mach' schnell das Essen, du hast
                sicher Kohldampf!
KARL: Du m a c h s t! Und wie lange dauert das!?
ELSA: Ach, nur ein paar Minuten ... (Karl wendet sich zur Tür) Wo willst'n hin?
KARL: Deine paar Minuten kenn' ich. Ich geh' in die Quelle. Da kriegt man was
                zu essen, wenn man Hunger hat. Da freuen sich die Leute, wenn einer
                wieder da ist.
ELSA: Mensch Kalle! (nimmt ihm die Jacke ab, geht ab)
KARL: Vier Tage auf Tour, und dann kommste nach Hause, freust dich auf dei-
                ne Familie, und was is —?

ELSA:	(bringt ein Glas und eine Flasche Bier) Die Kinder freu'n sich so auf dich! Und ich hab' so schönes Kaßler! (ab)
KARL:	(brüllt) Wo sind sie denn, die Kinder! Und das Kaßler! Morgen abend bin ich ja wieder weg. Da stör' ich keinen mehr. Aber heute hab' ich mir einfach mal eingebildet, ich hab' 'ne Familie! (setzt sich an den Tisch und schenkt sich Bier ein. Klaus-Dieter kommt)
KLAUS-DIETER:	Tach, Pappi! (zögert kurz, will abgehen in sein Zimmer, Elsa kommt, geht auf Klaus-Dieter zu, läßt sich küssen)
ELSA:	Na, müde?
KLAUS-DIETER:	(will in sein Zimmer. Mit einem Blick zum Vater) Na —? (will abgehen)
ELSA:	Klausi! (Klaus-Dieter setzt sich an den Tisch und liest Zeitung)
KARL:	Hör auf! Auf den verzicht' ich!
ELSA:	(macht sich an den Sofakissen zu schaffen) Karl, das ist nicht gerecht. Klaus-Dieter ist ein fleißiger, anständiger Junge! Der bringt's noch mal zu mehr als — —
KARL:	Na? — Zu mehr als ich, wa? Als Beamtenarsch!
ELSA:	Jetzt mach aber mal 'n Punkt!
KARL:	(geht ab, wäscht sich nebenan. Off) Unsereiner weiß, was er geleistet hat, wenn er abends nach Hause kommt! Das spürt er in den Knochen! Da hat er was gemacht, was die Menschen brauchen, was fabriziert. Oder zehn Tonnen Nahrungsmittel tausend Kilometer über Land gekarrt!
KLAUS-DIETER:	Gurken!
KARL:	Damit wir was zum Fressen haben. Das ist „produktive" Arbeit!
KLAUS-DIETER:	Immer dasselbe!
KARL:	Aber was so rumsitzt, zu Millionen, auf unsere Steuern, in der Nase popelt, die Leute piesackt —
KLAUS-DIETER:	Der hat doch keinen Schimmer!
KARL:	Das sind Schmarotzer! Parasiten! (kommt zurück)
ELSA:	(streichelt Klaus-Dieter über den Kopf) Der meint's nicht so!
KARL:	(zu Elsa) Genau was für dich. Entschuldige, daß ich noch arbeite!
ELSA:	Kalle, laß den Jungen in Frieden. Der hat auch schwer gearbeitet. Die Post, das ist doch genauso wichtig wie das, was du machst. Und dann noch die Sicherheit! Als richtiger Beamter. Was is'n dabei?
KARL:	Gar nichts ist dabei! Aber der hier — der glaubt, als Beamter ist man was „Besseres".
ELSA:	(im Abgehen) Du wolltest doch auch schon mal zur Stadt, als Busfahrer! (geht ab, Karl wirft ihr wütend das Handtuch hinterher)
THOMAS:	(kommt herein, geht auf Karl zu) Tach. (gibt ihm ein Küßchen) Na, wie war's in Afrika?
KARL:	King Ballaballa läßt dich grüßen ...
THOMAS:	Und seine vierzig fetten Frauen?
KARL:	Hat er verkauft, (Richtung Küche) sind ihm auf'n Keks gegangen. — Hier — (schenkt ihm einen Modell-Oldtimer) haste schon?
THOMAS:	Ach was. Sicher nicht ... (legt das Geschenk betreten beiseite)
KARL:	(schiebt Klaus-Dieter einen Umschlag mit Briefmarken zu. Zu Thomas) Und wo kommste jetzt her?
THOMAS:	(setzt sich zu Klaus-Dieter und dem Vater an den Tisch) Na, vom Betriebspraktikum. Hab' ich dir doch erzählt! Lenz und Co.
KARL:	Du gehst doch zur Schule.
THOMAS:	Ja, das gehört zur Schule. Drei Wochen einen Betrieb kennenlernen, für später!
KARL:	Was es so alles gibt ...
THOMAS:	Ich weiß jetzt auch, was ich mache.
KLAUS-DIETER:	Ach! Wieder mal?
THOMAS:	Fotolehre, und dann Standfotograf, die braucht man beim Film, und dann rüber auf Kameramann!

KARL:	Fotograf! So'n Schwund ...
THOMAS:	Fernsehen, Mensch! Diesen! (macht Kurbelbewegung) Dann treffen wir uns in Afrika. Bei King Ballaballa!
MARTINA:	(tritt hastig ein, geht Richtung Küche) n'Abend ...
KARL:	Wo kommst du jetzt her?
MARTINA:	Sag doch mal „Guten Abend" ... (ab in die Küche, kommt sofort mit Tellern zurück)
KARL:	Ich hab' dich was gefragt! Elsa! Darf Martina sich jetzt rumtreiben, solange sie will?
ELSA:	(ruft hinter Martina her ins Wohnzimmer) Wann hast du zu Hause zu sein?
MARTINA:	(stellt die Teller ab) Halb fünf ...
ELSA:	Kannst froh sein, daß dein Vater hier ist, sonst hätteste jetzt was erleben können! (ab)
MARTINA:	(wütend) Ich bin doch kein Baby mehr! (will ab in die Küche)
KARL:	(packt sie am Arm) Eben! Deswegen ja! Merkste nicht, wie dir die Männer nachstieren? Natürlich merkste das! In den Ecken rumdrücken, wa? Anfassen lassen! So — und so! (grabscht sie an) Nicht mit meiner Tochter! (Martina kochend ab) Martina! (sie kommt weinend mit Löffeln zurück) — Ich mein' das doch nicht so —! (reicht ihr das mitgebrachte Kuscheltier hin) Martina —! (Martina reagiert nicht, sie stößt Klaus-Dieter, damit er Platz macht, alle rutschen auf ihre Stammplätze um den Tisch, Elsa kommt mit Suppenschüssel, setzt sich ebenfalls, Martina heult)
ELSA:	Putz dir die Nase!
KARL:	(nach einiger Zeit) Mahlzeit!

=KALLE KOWALEWSKI=

Als ich fünf Jahr alt war nahm er mich

mit auf Fahrt in seinem schwe — ren

L-K-W- das war stark !

Wir don—nern in die Welt Zwei Meter

überm Asphalt Er lenkt den Riesen-brocken

ich bin to-tal von den Socken —

jedem Rast-haus ist er be-kannt, der große Mann an

meiner Hand — Kalle Kowalews-ki—

mein Freund, der Super — held —

Kalle Kowalewski — der stärkste Mann der

Welt — !

da capo [jedoch 2. + 3. Strophe teils andere
Melodie!]

29

Song: KALLE KOWALEWSKI

THOMAS: Als ich fünf Jahr alt war
Nahm er mich mit auf Fahrt
In seinem schweren LKW
— — das war stark

Wir donnern in die Welt
Zwei Meter über'm Asphalt
Er lenkt den Riesenbrocken
— — ich bin total von den Socken

In jedem Rasthaus ist er bekannt
Der große Mann / an meiner Hand —

REFRAIN: Kalle Kowalewski
Mein Freund, der Superheld
Kalle Kowalewski
Der stärkste Mann der Welt

Nachts lieg'ich hinter ihm im Kahn
Schau' mir die schnellen Lichter an
Fauchende Ungeheuer
— — und gebe Feuer

Ich weiß, gleich nach der Autobahn
Da fängt das Abenteuer an
Afrika, Urwald und Prärie
— — und Gefahren gibt's wie nie

Doch einer, den kriegt keiner klein
Und das wird Kalle am Lenkrad sein —

REFRAIN: Kalle Kowalewski
Mein Freund, der Superheld
Kalle Kowalewski
Der stärkste Mann der Welt

Doch heute ist er abgeschlafft
Irgendwas hat ihn total geschafft
Dann schaut er dich an wie'n Autowrack
— — der Kalle ist alle

Sein Leben hat er sich verbaut
Bis Afrika hat er sich nie getraut
Doch mir hat er damals den Weg gezeigt
— — und ich werd' ihn machen

Die Zeitungen bringen mich noch und noch
Und jeder sagt, klar Mann, den kennen wir doch:

REFRAIN: Thomas Kowalewski
Der Held, den jeder liebt
Thomas Kowalewski
Der heißeste Typ, den es gibt

(mehrmals wiederholen)

6. Bild

agerraum bei Kaufheim. CHARLIE und DORIS in Arbeitskitteln. Er holt Spraydosen aus einem
.arton, preist sie aus und gibt sie Doris, die sie auf einem Tisch ordnet.

HARLIE:	(reckt sich hoch) Mann, mein Rücken! Das hältste ja im Kopf nicht aus!
›ORIS:	Ich denke im Rücken!
HARLIE:	(preist weiter aus) Wie lange noch?
›ORIS:	Ist doch der letzte Tag!
HARLIE:	(arbeitet weiter) Da lernste was für's Leben, wa? Die haben doch wohl 'n Hammer!
›ORIS:	Wieso? Für die ist das doch gut. Drei Wochen Sachenschleppen und Aus- preisen ohne Lohn — was die dabei sparen!
HARLIE:	Die machen doch genug Mäuse! Hier: fünf Mark fünfundneunzig! Für'n Raumspray. (drückt auf den Knopf)
›ORIS:	Iiiihh! Das merken die doch!
›HARLIE:	Na und?
›ORIS:	Das stinkt doch!
›HARLIE:	(drückt noch mal) Fünf fünfundneunzig! Da läßte doch besser einen fah- ren, is billiger. (beide lachen, setzen sich auf die Tischkante) Was is'n drin in so'ner Flasche?
›ORIS:	Na — für'n Groschen Waldmeisteraroma, oder sowas, wa? Mit Wasser ver- dünnt.
’ERKÄUFERIN:	(fährt mit einem gefüllten Korbwagen über die Bühne) He! Ihr seid hier nicht in der Schule! Einmal müßt ihr ja auch ein bißchen arbeiten lernen! — Ein faules Pack ist das heute! Aber Ansprüche! (ab)
›ORIS:	Haste das gehört?
›HARLIE:	(bringt sich in Wut) Das hältste ja im Kopf nicht aus! — Was haste gesagt, is die Pulle wert? 'n Groschen? (verstellt den Auspreis-Apparat) Na, sa- gen wir mal: fünfzig Pfennige. Der Kaufhausdirektor soll ja auch nicht le- ben wie 'n Hund! (preist aus)
›ORIS:	Mensch, biste verrückt? Das kannste doch nicht machen!
›HARLIE:	Haste recht. Zu teuer. Zwanzig Pfennige! (preist aus)

DORIS:	Also — ich war das nicht!
CHARLIE:	(preist schnell weiter aus) Man muß nämlich unterscheiden zwischen Gebrauchswert und Täuschwert — hab' ich von meiner Lehrerin. — Mann, wird das 'ne Enttäuschung für den Chef. (nimmt eine andere Sorte Dosen) Was is'n das hier? Na: dreißig Pfennige — (verstellt den Auspreis-Apparat) — fünfundvierzig, weil sie so schön bunt ist. (preist aus)
DORIS:	Achtung! — Au warte!
VERKÄUFERIN:	(kommt, nimmt die ausgepreisten Spraydosen mit) Na, was ist denn? Weiter, weiter! (ab)
CHARLIE:	So, jetzt hat der Chef genug verdient. Der Rest geht weg für'n Groschen. Wer will noch mal von der Miefpulle?
VERKÄUFERIN:	(off, schreit) Herr Braun! Fräulein Bieber! Kommen Sie sofort hierher! (kommt mit einer falsch ausgepreisten Dose) Kommen Sie sofort mit! Ich hole jetzt Herrn Bollmann! Ich hole jetzt sofort Herrn Bollmann! (zu Charlie) Geben Sie sofort das Ding da her!
CHARLIE:	(hebt die Arme, dann drückt er zwei Preisschilder auf die Brillengläser der Verkäuferin)
VERKÄUFERIN:	(hysterisch) Hilfe! Hilfe! Herr Bollmann! (ab) (Zwischenmusik)

7. Bild

Personalbüro bei Lenz und Co. SABINE und THOMAS stehen dem VORGESETZTEN gegenüber

SABINE:	Kriegen wir jetzt von Lenz und Co. eine Lehrstelle nach der Schule?
THOMAS:	Ich meine, den Betrieb kennen wir ja nun ganz gut, nach drei Wochen Praktikum.
VORGESETZTER:	Sie haben sich vielleicht keine besonderen Gedanken gemacht. Aber Ausbildung kostet heute ein Vermögen. Das können sich Konzerne leisten. Wir nicht. Wir haben e i n e freie Lehrstelle. Mehr nicht.
THOMAS:	Aber als ich angefangen habe, da hab' ich gedacht — — —
VORGESETZTER:	Wollen Sie die Bilanz sehen? (hält den beiden einen Aktendeckel unter die Nase) Zeige ich Ihnen. Erklär' ich Ihnen auch. Ich bin für Transparenz. Wir können uns gar nichts anderes leisten. Sehen Sie, wir haben achtzehn Praktikanten, und einer hat ja das beste Zeugnis. Und der soll dann hier seine Chance bekommen.
SABINE:	Früher hieß das: „Jeder hat seine Chance.''
VORGESETZTER:	Machen Sie sich das nicht zu einfach. Die Ursachen liegen tiefer.
THOMAS:	Im System — wa? (Sabine erstarrt)
VORGESETZTER:	Wie bitte?
THOMAS:	Das liegt am kapitalistischen System, stimmt's?
VORGESETZTER:	So. Am — System. Aha. Sagen Sie mal, Sie haben das in der Schule besprochen — nicht wahr?
SABINE:	Wieso denn?
VORGESETZTER:	Wissen Sie Näheres darüber? Ich meine, so Einzelheiten, über das kapitalistische System? (Sabine stößt Thomas in die Rippen)
THOMAS:	Fragen Sie doch in der Schule nach!
VORGESETZTER:	Ja. Das werde ich tun. Darauf können Sie sich verlassen! (Zwischenmusik)

8. Bild

Jugendfreizeitheim. HELLA und Heimleiter MARTIN WOLF treffen letzte Festvorbereitungen. Hella schreibt auf die Cola-Tafel: Heute alles frei! Wolf trägt ein Pflaster im Gesicht. Eine Girlande ist aufgehängt, Wolf legt eine zweite kaputte Girlande auf den Boden.

WOLF:	Alles kaputt ... Ob man das mit Tesafilm noch mal hinkriegt?
HELLA:	Meinst du, die Jugendlichen stehen auf deiner Scheißgirlande?
WOLF:	Wenn sie nicht da hängt — schon! Bei Feten gab's hier immer Girlanden. (steigt auf einen Stuhl) Die Drähte sind auch weg. (er befestigt ein Girlandenende)
HELLA:	Und warum läßt du sie ihren Raum nicht selber dekorieren?
WOLF:	Selber! Die! (lacht kurz auf, versucht, die Girlandenreste über den Nylondraht zu ziehen) Da sind Papierschlangen! Mach doch mal mit! (Hella holt Papierschlangen und wirft sie über die Girlanden. Wolf will das andere Girlandenende befestigen, kippt dabei mit dem Stuhl um)
HELLA:	Nimm doch die Leiter!
WOLF:	Leiter! Meinste die ohne Sprossen?
HELLA:	'ne neue Leiter kostet fünfzehn Mark.
WOLF:	Und der Antrag dauert vier Monate, bis er abgelehnt wird.
HELLA:	Wenn sie ihr Heim selbst verwalten würden, hätten sie längst eine neue Leiter. Du spielst hier doch nur den Verwalter von 'ner Bahnhofsmission.
WOLF:	Na und?
HELLA:	Glaubst du, das bringt die Jugendlichen weiter?
WOLF:	Ob weiter, weiß ich nicht, aber es bringt sie hierher. Seit zwölf Jahren. (trinkt Bier) Offenbar werde ich hier gebraucht.
HELLA:	Das seh' ich an deinem Pflaster.
WOLF:	Ach, das war'n Stuhlbein und keine Absicht. In anderen Jugendheimen ist es viel schlimmer. Laß mich mal hier machen. Wenn du mit deinen gruppendynamischen Prozessen hier nicht ankommst, gehste einfach woanders hin. Mit deinem albernen „feeling" stiftest du hier nur Ärger. (holt einen Papiermond und befestigt ihn, auf einem Stuhl stehend. Hella holt einen Besen und kehrt)
HELLA:	Der einzige, der sich hier ärgert, bist du. Du blickst doch überhaupt nicht durch. Du mit deinem Firlefanz schickst doch die Jugendlichen genauso auf den Konsumtrip wie alle anderen auch. Weil du selber drauf bist. Ich hab' mit der ganzen Konsumscheiße Schluß gemacht. Und das kapieren die auch. Und allmählich merken die, worum es geht, nämlich daß sie als Menschen was wert sind, daß sie das richtige Bewußtsein haben und daß es nicht darauf ankommt, was für einen Beruf sie haben und wieviel Geld man verdient, und daß sie tausendmal mehr wert sind als die ganzen Spießer zusammen. Und dann sind sie auch ihre Komplexe los, im Gegensatz zu dir.
WOLF:	Wenn du fertig bist, kannst du mal die Abrechnungsscheine für die Getränke holen.
HELLA:	Was weiß so'n Verwaltungsknochen wie du von den Problemen der Jungen? — Wo ist denn die Schaufel? (Wolf bringt Schaufel und Handfeger)
WOLF:	Ich kämpfe seit einem Dreivierteljahr um die Bewilligung für meinen Fotozirkel! Wenn der erst mal durch ist — ha, da wirst du staunen! (nimmt den Schmutz auf)
HELLA:	(streichelt Wolf über das Haar) Kämpfer Wolfi knipst sich frei!
(MARTINA, DUNJA und KLAUS-DIETER kommen)	
WOLF:	Laß das! Wenn das die Kinder sehen! (bemerkt die eintretenden Kinder, versteckt Schaufel und Feger hinter dem Rücken, geht auf sie zu) — Da kommt ja die ganze Familie.

34

SCHNULLI:	(stört Martina und Dunja beim Tanzen) Wer bist denn du da?
DUNJA:	Dunja! Und du?
SCHNULLI:	Dunja! Ist mir zu dünnja! Ich bin Kaiser von China! Und steh' auf Marti-na! (tanzt mit Martina)

+++++

DORIS:	(tanzend, zu Charlie, der sie anstiert) Was kuckst'n so?
CHARLIE:	(hält ihr einen Flachmann hin) Darfst!
DORIS:	Will aber nicht ...

+++++

KLAUS-DIETER:	(schlendert zu Dunja) He Dunja! — Tanzen? (Dunja schüttelt den Kopf) Wie alt bist du denn?
DUNJA:	Vierzehn.
KLAUS-DIETER:	Vierzehn! Da wird's aber Zeit! (er tanzt mit ihr)

+++++

CHARLIE:	He, Doris, du warst doch dabei bei Kaufheim, wie ich das Ding gebracht hab'. War doch dufte, oder?
DORIS:	Na und?
CHARLIE:	Na und ... (stiert, seufzt)
DORIS:	Du schielst einen an — wie Colombo ...
CHARLIE:	Wie Columbo ... (macht Columbo nach, stiert sie an)
DORIS:	Ich muß mal ... (ab)

+++++

FRAU SCHMIDT kommt herein, sagt überallhin: „Guten Abend", macht eine kurze Runde zu Sabine und Thomas, Doris und Charlie, der ihr seine Flasche anbietet und sie wie Columbo begrüßt, was sie ebenso erwidert.

MARTINA:	Huhu, Frau Schmidt!
SCHMIDT:	'n Abend, Martina!
SCHNULLI:	Halt die Fresse!
SCHMIDT:	'n Abend, Schnulli!
SCHNULLI:	Was will die denn hier?
MARTINA:	Die ist doch nett!
SCHNULLI:	Du spinnst doch! Das ist genauso 'ne Sau wie alle anderen!
KLAUS-DIETER:	Guten Abend, Frau Lehrerin!
SCHMIDT:	'n Abend!
HELLA:	Bier oder Cola?
SCHMIDT:	Bier.
HELLA:	Glas?
SCHMIDT:	Nein, danke.
WOLF:	(zu Frau Schmidt) Heute ist dicke Luft hier!
SCHMIDT:	Wieso? Haben die Rocker wieder Besuch angekündigt?
WOLF:	Nein, Schnulli hat Ihnen gerade den Kampf angesagt, wegen Charlie.
SCHMIDT:	Wegen Charlie?
WOLF:	Aber die anderen wollen wohl nicht so recht ...
SCHNULLI:	Was kucken Sie denn so? Wenn Charlie fliegt, fliegt so mancher mit!
SCHMIDT:	Nu mal langsam. So schnell fliegt man nicht.
SCHNULLI:	Das kann sie meiner Oma erzählen! Das ist doch längst beschlossene Sa-che! (Doris kommt wieder)

+++++

CHARLIE:	(mit Columbo-Bewegungen. zu Doris) Na los! Beiß doch mal ab! Darfst wirklich! (reicht ihr einen Flachmann)
DORIS:	Mensch, laß mich in Ruhe!

+++++

HELLA:	Doris, Charlie ist doch genau auf dem richtigen Trip. Der ist jetzt aufgewacht, der hat zu sich selbst gefunden —
DORIS:	— und dann sagt er zu seiner Alten, sagt er: Ich fliege jetzt von der Schule, wa, aber macht ja nichts, ich hab' dafür mich selber gefunden. Das ist doch Eins A Klapsmühle!! (geht zu Klaus-Dieter an den Tisch, setzt sich)
HELLA:	Charlie weiß auf jeden Fall, wo's in Zukunft lang geht. Weil er gelernt hat, nach seinem feeling zu handeln.
DORIS:	Ich spinne ja wohl! Mit der Zukunft ist es vorbei für Charlie, für einmal auf'n Tisch kacken! So 'ne witzigen Gefühle kannst du dir vielleicht leisten, wa? Aber nicht unsereiner, verstehste? Du lebst doch auf'm Mond, du Mondkalb!

+++++

THOMAS:	Sabine — das Wichtigste hab' ich dir noch gar nicht erzählt. Du mußt mir dabei helfen.
SABINE:	Spinnst du? Jetzt kriegste Schiß, und da soll ich dir auf einmal die Einsen schreiben.
THOMAS:	Nein, nein, Sabine! Genau umgekehrt! Gerade w e i l ich jetzt fleißig werde und acker und mach' und tu', richtig im Ernst, und nicht so'n Scheiß mach' wie Charlie, da hab' ich gedacht, vielleicht — vielleicht verstehen wir uns da besser, ja, weißte: Du bringst alles und dich lassen sie nicht, und ich soll alles und bring's nicht —! Und wenn wir — weißte, 'n Mädchen, sagen wir mal wie du, ja, das is für'n Mann das Wichtigste! Der bringt das nicht ohne! Ich denk' nur immer, daß du mich nicht ganz für voll nimmst, sonst hätt' ich ja schon längst — — (Sabine gibt längst nach) also vergiß es, ich hol' mal 'ne Cola, wa — (schnell weg)

+++++

SCHNULLI und CHARLIE treten auf, Charlie leicht (leicht!) betrunken. Charlie stiert die ganze Zeit abwesend in die Gegend, Schnulli ist aufgekratzt.

KLAUS-DIETER:	(zu Wolf) Ach, da kommt der Braun, die dumme Sau! Jetzt ist er kaputt, der Junge. Große Fresse und nichts dahinter! Wie alle! Die sind alle selber schuld, wenn sie keine Arbeit kriegen! Ich würde die Säcke auch nicht anstellen! Was sagen Sie, hab' ich nicht recht?
WOLF:	Du redest totalen Stuß, mein Lieber.
KLAUS-DIETER:	Der kann doch nicht im Ernst denken, daß die sich sowas gefallen lassen. Mann, das hätte ich mir mal erlauben sollen!
SCHNULLI:	(zu Martina) Stell den Kasten ab, Dicke!
MARTINA:	Was is los?
WOLF:	Schnulli, ich finde das unheimlich gut, daß ihr gekommen seid. Aber hier hat jeder die gleichen Rechte.
SCHNULLI:	Kannst ja gleich weitermachen! Hab' doch nicht immer gleich so'n Schiß! Will doch nur was sagen ...
WOLF:	Also gut. Dreißig Sekunden. (gibt Hella ein Zeichen. Sie stellt den Plattenspieler aus)
SCHNULLI:	Also von mir aus ist Charlie 'n Arsch. Aber er hat da 'n gutes Ding geliefert. Und außerdem ist er mein Kumpel. Und deswegen: Wenn der von der Schule fliegt, denn fliegt die ganze Schule in die Luft! Wir rühren keinen Finger mehr bei der Schmidten und den anderen Säcken, bis Charlie bleiben kann. Ist das klar?
SABINE:	Aber Schnulli, die Schmidten kann doch gar nichts dafür...
SCHNULLI:	Ob das klar ist! (Schweigen)
DORIS:	Mach doch hier keinen Stunk!
SCHNULLI:	Das hab' ich mir gedacht, ihr Pfeifen ...
CHARLIE:	Ich denke, hier is 'ne Fete. Warum ist denn hier keine Musik? (Hella stellt die Musik wieder an)

+++++

KLAUS-DIETER:	Guten Abend. Ich bringe die beiden Kleinen rum. Martina muß halb acht zu Hause sein, damit Sie's gleich wissen!
MARTINA:	(knufft ihn) Mensch, hau bloß ab! (zu Wolf) Das ist Dunja! Die ist süß, nicht? Ich hab' ihre Eltern gefragt. Mit mir darf sie gehen.
KLAUS-DIETER:	Die müssen 'n Hammer haben, die Alten.
DUNJA:	(gibt Hand und Knickse) Gut hier! Auch Tanzen?
WOLF:	Ja ja! Später! Klaus-Dieter, ein Bier gefällig?
KLAUS-DIETER:	Wenn's nichts kostet ... (setzt sich an einen zweiten, hinteren Tisch)
THOMAS:	(kommt) Ist Sabine noch nicht hier?
	(Martina sieht sich mit Dunja die Platten an, legt eine auf)

(Zur Regie: In der Berliner Uraufführung-Inszenierung läuft ab hier — bis auf die Stelle, in der der Text anderes vorschreibt — in der ganzen Szene Musik, leise genug, damit man alle Dialoge verstehen kann. In den mit +++++ bezeichneten Übergängen wird sie lauter. Die entsprechenden Paare, die nicht „dran sind", tanzen, holen Cola, rauchen, essen Bouletten, sitzen stumm herum. Hella versucht, überall zu trösten oder aufzumuntern, Wolf tritt ständig auf und ab, weil immer noch etwas zu erledigen ist (Karton mit Girlanden, Kehrbesen abräumen, Bouletten holen), und schützt vor allem den Barbereich, wo sich die Getränke und der Plattenspieler befinden.)

(SABINE und DORIS kommen)

WOLF:	(zu Dunja und Martina) Wollt ihr 'ne Cola? (zu Dunja) Du — Cola?
DORIS:	Was wollen die denn hier? Ist das hier 'n Kindergarten?
SABINE:	Mann, laß die doch auch mal ihren Spaß haben ... (zu Dunja) Wer bist du denn?
DUNJA:	Dunja! Freundin von Martina! Und du?
THOMAS:	(stürzt sich auf Sabine): He, Sabine! Da biste ja! Ich muß dir was erzählen! (zieht sie in eine Ecke vorn an der Bühne)
DORIS:	Ach, so ist das! — Was findet der denn an der —?
HELLA:	He Doris! Ich mach' dir 'ne Cola. (nimmt sie mit zur Bar)

+++++

THOMAS:	Also — Sabine, ich muß dir leider sagen: So geht das nicht weiter! Mit mir — geht das so nicht weiter. Verstehste?
SABINE:	Nee ...
THOMAS:	Aber — ich hab's jetzt!
SABINE:	Schon wieder mal?
THOMAS:	D i e Idee! Ich mach' auf Schule.
SABINE:	Hä?
THOMAS:	Ich mach'n Abschluß! Ich pauke! Ich pfeffer den Paukern Einsen hin, daß sie hinten nicht mehr hochkönnen!
SABINE:	Das — das ist doch viel zu spät — das schaffste doch nie — —
THOMAS:	Wetten, daß? Alles genau ausgerechnet: Wenn die Schmidten mitmacht, und die steht auf mir, weiß ich, dann brauch' ich nur noch die Mathe-Sechs bei Mackenmüller wegzukriegen —
SABINE:	Ist dir nicht gut?
THOMAS:	Also, ich erkläre dir das mal ...

+++++

DORIS:	(an der Bar) Du, Hella, haste gehört, mit Charlie im Kaufhaus? Der hat doch'n Ding an Kopp, wa?
HELLA:	Ich finde das dufte, was er gemacht hat.
DORIS:	Der fliegt jetzt von der Schule! Und ins Heim muß er auch! Der ist doch bescheuert!
HELLA:	Alle anderen sind bescheuert. Bei Charlie hat's geklickt! Der hat endlich mal action gemacht! Das ist doch dufte!
DORIS:	Ins Heim kommt der für einmal „action machen"! Was ist'n da dufte?

SCHMIDT:	(zu Hella) Na, Sie kennen ja meine Leutchen schon etwas.
HELLA:	Allerdings. Was sagen Sie denn zu Charlie? Ist doch stark, was er da gemacht hat, oder?
SCHMIDT:	Also — ein Geniestreich war das nun auch wieder nicht. Der Fall hat mich ziemlich mitgenommen. Da muckt so ein unterdrücktes Würstchen einmal in seinem Leben auf, und schon läuft 'ne ganze Maschinerie ab: Repressalien in der Schule, wahrscheinlich Rausschmiß von zu Hause, und das Schlimmste: die eigenen Klassenkameraden lassen ihn hängen. Die sind so kaputt, daß sie jedes Unrecht hinnehmen und sich am Ende noch selber die Schuld geben.
HELLA:	Mensch, du blickst ja richtig durch!

+++++

SCHNULLI:	(zu Martina) Bist du schon mal von zu Hause weggeblieben? (sie schüttelt den Kopf) Mußte mal machen! Müssen sich die Alten dran gewöhnen! — Hast du schon mal 'n richtigen Bruch gemacht?

+++++

(Thomas und Sabine tanzen, Sabine schluchzt)

THOMAS:	(streichelt sie hilflos-zärtlich) Mensch, was ist denn! Ich find' das gemein, wenn du mir nicht sagst, was ist! Dann kann ich dich doch gar nicht trösten!
SABINE:	Das verstehse ja doch nicht — — — biste zu klein ...
THOMAS:	Ach was, ich bin größer als du.
SABINE:	Ich wollte mal was Schönes machen ... Und jetzt werde ich Verkäuferin... Und mach' für so'n blöden Typ wie dich Schularbeiten ...
THOMAS:	Machste wirklich? Dann ist doch alles gut!
SABINE:	Erzieherin — oder Säuglingsschwester ... Ich weiß genau, ich würde das alles bringen! Aber von zu Hause darf ich nur Dresche kriegen ... Und wenn ich denn mal könnte die Schule nachmachen, fall' ich garantiert auf 'n Typ rein wie dich, und denn gibt's wieder Dresche, und ich darf wieder nur bei den Schularbeiten helfen ... Ich möcht'n Junge sein...

+++++

HELLA:	(beginnt zu tanzen; zu Frau Schmidt) Tanzt du auch mal?
SCHMIDT:	Nein.
HELLA:	Laß dich doch mal ein bißchen los! Sei doch nicht so verkrampft!
WOLF:	Das sagt sie zu jedem.
HELLA:	Mensch, laß dich mal ein bißchen fallen. Relax doch mal ... Ist doch 'ne dufte Fete, oder?
SCHMIDT:	Dufte? Ich seh' überall nur heulendes Elend ...
WOLF:	(verklemmt, mit unbeholfenen Tanzschritten auf die hingebungsvoll tanzende Hella zu) Ach, Hella ...

Die Musik wird laut.

Pause

DAS HÄLTSTE JA IM KOPF NICHT AUS

Mein Praktikum war to — taler Mist ! Da
wird aus pro-biert, wie däußlig du bist, und
bist du mal nicht ganz — so beschenert, dann
wirst'de zur Be-lohnung von der Schule ge-feuert !

Das hältste ja im Kopf nicht aus — !

Das hältste ja im Kopf nicht aus — !

da capo

44

2. Teil

Song: DAS HÄLTSTE JA IM KOPF NICHT AUS

Auftritt CHARLIE: Mein Praktikum war totaler Mist
Da wird ausprobiert, wie dußlig du bist
Und biste mal nicht ganz so bescheuert
Wirste dafür in der Schule gefeuert

REFRAIN: Das hältste ja im Kopf nicht aus
— — —
Das hältste ja im Kopf nicht aus
— — —

Auftritt THOMAS: Ich kenn' einen Typen in meinem Haus
Der hat Abitur, der is ganz groß raus
Mit dem Wisch hat der, ob du's glaubst oder nicht
Sogar 'ne Schlosserlehrlingsstelle gekricht

REFRAIN: (beide) Das hältste ja im Kopf nicht aus
— — —
Das hältste ja im Kopf nicht aus
— — —

Auftritt SCHNULLI: Unser Rektor, der hält vielleicht schöne Reden!
Von Gerechtigkeit und gleichen Chancen für jeden
Millionär wer'n kann jeder, das ist sein Motto:
Der eine anner Börse und die andern im Lotto!

REFRAIN: (alle drei) Das hältste ja im Kopf nicht aus
— — —
Das hältste ja im Kopf nicht aus
— — —

Auftritt SABINE/
DORIS: Wenn du im Discount klaust, nehm'se dich fest
Auch wenn du nur'n paar Strumpfhosen mitgehn läßt
Doch bescheißte den Staat um hundert Millionen
Kannste schön in deiner Luxusvilla weiterwohnen!

REFRAIN: (alle) Das hältste ja im Kopf nicht aus
— — —
Das hältste ja im Kopf nicht aus

9. Bild

Klassenzimmer. THOMAS ist ins Schreiben vertieft, DORIS, SABINE und SCHNULLI sitzen an oder auf zusammengeschobenen Tischen.

SCHNULLI: Wenn Charlie fliegt, gibt's Tote — klar?
DORIS: Vielleicht ist er schon geflogen.
SCHNULLI: Wieso?
DORIS: Na — sonst wäre er ja hier.
SCHNULLI: Das soll'n die sich mal trau'n!
SABINE: Ach — warum sollen sie den denn rausschmeißen? In der Schule hat er doch gar nichts gemacht.
DORIS: Aber der Abteilungsleiter, der Bollmann, der hat gesagt —
(CHARLIE erscheint)
THOMAS: Da ist er ja!(schreibt weiter)
CHARLIE: Was hat er gesagt?

DORIS:	Ach, gar nix.
SCHNULLI:	(zu Doris) Los, du Mohngurke! Was hat er gesagt?
DORIS:	Der hat gesagt, er wird dafür sorgen, daß Charlie von der Schule fliegt, wa, und das wär ja gelacht, und sonst wär Charlie der letzte Praktikant bei Kaufheim gewesen. Hat er gesagt.
SABINE:	Das is'n Ding wie'n Hammer! — Und warum will er ihn von der Schule haben? Davon hat er doch gar nichts!
DORIS:	Naja! Weil er'n Krimineller ist, wa? Hat er gesagt!
CHARLIE:	Der Gabler hat meiner Mutter einen Brief geschickt ...
SCHNULLI:	Und was steht da drin?
CHARLIE:	Naja — — ist doch egal! (setzt sich)
SABINE:	Was sagt denn deine Mutter?
CHARLIE:	Ich soll mich zu Hause nicht mehr blicken lassen. Ins Heim soll ich!
SCHNULLI:	Und? Gehste?
CHARLIE:	Ich geh doch nicht ins Heim!
SABINE:	Und? Wohin gehste denn? Auf Trebe?
SCHNULLI:	Wir machen'ne Gang auf! Arbeit gibt es sowieso keine — geben wir uns selber welche! Wa, Charlie?
DORIS:	Jetzt biste ganz schön am Arsch, wa, Charlie?
SABINE:	Das wird schon wieder gut! Wa, Charlie?
CHARLIE:	Das hältste ja im Kopf nicht aus!
(FRAU SCHMIDT und Rektor GABLER betreten das Klassenzimmer.)	
SCHNULLI:	(zischt) Sitzenbleiben!
SCHMIDT:	Guten Morgen.
GABLER:	Aufstehn! (Thomas springt als einziger auf) — Frau Schmidt —?
SCHMIDT:	Herr Gabler, wir hatten kürzlich in der Klasse über das Aufstehen allgemein diskutiert ...
GABLER:	So. „Diskutiert". Sie sollten besser mal unterrichten! — Stehen Sie auf, Braun! (Charlie springt auf) Na also. Die anderen können sich setzen. (Thomas setzt sich unsicher, auch Frau Schmidt setzt sich) Um euch den Schritt ins Leben zu erleichtern, hat die Schule für euch im neunten Schuljahr ein sogenanntes Berufspraktikum eingeführt. Leider haben sich einige unserer Schüler dieser großzügigen Einrichtung, die ausschließlich dem Interesse des Schülers dient, nicht würdig erwiesen. Im Gegenteil. Einer hat sich sogar zu kriminellen Handlungen hinreißen lassen und eine Vorgesetzte tätlich angegriffen.
DORIS:	Was denn — —? !
GABLER:	Wolltest du was bemerken?
DORIS:	So war das doch gar nicht!
GABLER:	Rede, wenn du gefragt bist! Wer mir Lügen unterstellt, dem kann ich nur raten, dafür handfeste Beweise in der Hand zu halten. — Statt zutiefst dankbar zu sein, daß die Schule drei Wochen ihres kostbaren Unterrichts für euer berufliches Weiterkommen opfert, macht sich dieser Rüpel schwerer Delikte schuldig und schadet somit nicht nur dem Ansehen seiner Schule auf das Schändlichste, sondern darüber hinaus allen seinen Mitschülern, denen es in Zukunft versagt sein wird, bei Kaufheim jemals wieder ein Berufspraktikum zu absolvieren.
DORIS:	Gott sei Dank! (Gabler will losbrüllen)
SABINE:	Gott sei Dank!
SCHNULLI:	Gott sei Dank! (haut Charlie auf die Schulter und drückt ihn dabei auf seinen Stuhl runter)
GABLER:	Frau Schmidt —? !
SCHMIDT:	Um diese Reaktion zu verstehen, Herr Gabler, müssen Sie wissen, daß die Praktikanten bei Kaufheim lediglich mit den stupidesten Handlangerdiensten beschäftigt wurden, die mit einem richtig verstandenen Berufspraktikum aber auch nicht — —

GABLER:	Ich verstehe sehr gut. Das, worunter die Herrschaften so entsetzlich gelitten haben, nennt man gemeinhin „Arbeit".
SABINE:	Aber —die sollten da doch was lernen!
GABLER:	Sehr richtig! Lernen zu arbeiten! Damit fängt es erst mal an. Und damit hört es bei euch auch schon wieder auf! — Braun, du kannst mir und der verständnisvollen Leitung von Kaufheim danken, daß du nicht vor's Jugendgericht kommst. (empörtes Aufstöhnen) Dein kriminelles Verhalten ist durch nichts entschuldbar und wird auch von dem Gros deiner Klassenkameraden nicht akzeptiert. Nicht wahr, du da? Wie heißt du?
THOMAS:	Thomas Kowalewski
GABLER:	Richtig. Und Sabine ist auch meiner Ansicht. Und die meisten anderen auch. (Sabine ist empört, will protestieren.) Und deshalb — (schnell) wird Jürgen Braun im Interesse aller ab heute in die Parallelklasse zu Kollegen Müller versetzt. Das ist ein Kollegiumsbeschluß.
SCHMIDT:	Aber, Herr Gabler — (ist empört. Es handelt sich offenbar um eine Lüge)
GABLER:	(leiser zu Frau Schmidt) Bei Kollege Müller ist ein Fall wie Braun besser aufgehoben.
SCHNULLI:	Gut. Dann gehen wir alle mit.
GABLER:	Das werdet ihr nicht tun.
SABINE:	(springt auf) Und ob wir das tun!
GABLER:	Lohmeier! Was ist denn plötzlich in dich gefahren!
SABINE:	Sie kennen doch Charlies Mutter genau! Und der haben Sie so einen Brief geschrieben! Wo Sie genau wissen, was dann fällig ist! Das ist gemein, ist das! Jetzt hat er kein Zuhause mehr! Jetzt kann er auf Trebe gehen — wegen Ihnen! Das ist viel schlimmer als so'n dämliches Jugendgericht! Da wär er nämlich freigesprochen worden! Weil er nämlich gar nichts gemacht hat! (setzt sich)
GABLER:	Nichts gemacht! Nichts gemacht! Drei Wochen habt ihr nichts gemacht! (verliert die Kontrolle) Wenn einer von euch mal mit Arbeit in Berührung kommt, markiert er sofort den von der Gesellschaft ausgestoßenen Sozialfall! Die Arbeitslosigkeit hat auch ihr Gutes! Da sondert sich jetzt nämlich die Spreu vom Weizen! (Frau Schmidt steht empört auf) Da werden nicht mehr jedem hergelaufenen Rotzlöffel die Geldscheine in den Hintern gesteckt! Ihr werdet euch noch umschauen! — — Raustreten mit Mappe, Braun! (Charlie springt auf) — Wir sprechen uns noch, Frau Schmidt, es ist ja nicht das erste Mal, daß Sie hier Unruhe provozieren! (ab mit Charlie)
SCHNULLI:	Raustreten mit Mappe, alle Mann!
SCHMIDT:	Behaltet ihr doch wenigstens die Nerven —!
SCHNULLI:	Sie haben Nerven! (Doris und Schnulli ab)
SABINE:	(boxt Thomas) Komm doch mit! (Thomas rührt sich nicht, Sabine rennt den anderen hinterher)
SCHMIDT:	Warum bist du denn nicht mitgegangen?
THOMAS:	Die sind ja verrückt!
SCHMIDT:	Und du hältst dich für oberschlau, was?
THOMAS:	Ich hab doch nur die Nerven behalten — wie Sie ...
SCHMIDT:	Richtig! Du bist ja der neue Musterschüler! Ich verstehe. Mensch mach dich bloß dünne ...
THOMAS:	Aber Frau Schmidt! Sie haben doch auch nichts gemacht!
SCHMIDT:	Ich? Nichts gemacht? Ich hab ihm doch meine Meinung gesagt!
THOMAS:	Sprüche! Die kosten Sie doch nichts.
SCHMIDT:	(im Abgehen) So. Meinst du. (kommt noch einmal zurück) — Sag mal, hast du bei Lenz irgendwas von Kapitalismus erzählt?
THOMAS:	Was? Ach so, ja. Bei der Verabschiedung. Warum denn?
SCHMIDT:	Weil die Firma beim Rektor nachgefragt hat.
THOMAS:	Was? Hätte ich die Klappe halten sollen?

SCHMIDT:	Aber nein, das fehlte gerade noch! (ab)
THOMAS:	(ruft hinterher) Frau Schmidt, ich laß mir was einfallen, wegen Charlie, ehrlich! (setzt sich wieder hin, grübelt über sein Verhalten nach)

SCHNULLI, SABINE und DORIS kommen zurück ins Klassenzimmer, setzen sich auf ihre Plätze.

SCHNULLI:	Mann! Seid ihr ein paar Pfeifen!
SABINE:	Wenn der einfach die Tür zuknallt?
SCHNULLI:	Hab ich sie wieder aufgemacht oder nicht?
DORIS:	Geh doch mal kucken, ob sie noch offen ist!
THOMAS:	War eben'ne doofe Idee! (Alle drei stehen auf, bewegen sich auf Thomas zu. Sabine haut Thomas eine runter)
	(Zwischenmusik)

10. Bild

Zimmer von Thomas und Klaus-Dieter. KLAUS-DIETER bittet SABINE ins Zimmer.

SABINE:	Ist Thomas nicht da?
KLAUS-D.:	Nein.
SABINE:	Wo isser denn?
KLAUS-D.:	Der muß jeden Augenblick hier sein. Wirklich! (rückt Bettzeug zurecht. Sie will gehen) — Komm, setz dich!
SABINE:	Nee.
KLAUS-D.:	Ist was mit Thomas?
SABINE:	Wieso?
KLAUS-D.:	Seh ich doch. Na, mir kannste's doch sagen! Ich bin doch sein Bruder! (setzt sich) Ich kenn ihn besser als er sich selber. Na?
SABINE:	(setzt sich ihm gegenüber) Wir wollen doch was machen in der Schule wegen Charlie ...
KLAUS-D.:	Hab ich von gehört, ja.

SABINE:	Und Thomas benimmt sich auf einmal so beschissen ...
KLAUS-D.:	Ach, wem sagst du das! Ich mach mir auch ganz schöne Sorgen um Thomas.
SABINE:	Ehrlich?
KLAUS-D.:	Was soll man mit dem noch machen!
SABINE:	Heute morgen in der Schule, da hab ich ihm direkt eine runtergehauen.
KLAUS-D.:	(legt seine Hand auf Sabines Knie) Weißte: Besser, du schlägst ihn dir aus'm Kopf! Hat einfach keinen Sinn mit dem! Leider! Was hab ich nicht schon alles versucht! (Sabine fängt an zu schluchzen, er setzt sich neben sie) — Ach, Sabine ... Wir zwei beide, was? (er umarmt sie, kippt sie nach hinten und versucht sie zu küssen. Sie wehrt sich zu spät)
MARTINA:	(kommt mit Thomas ins Zimmer, erkennt sofort die Situation) Au warte!
SABINE:	(ist aufgesprungen, zu Klaus-Dieter) Du Schwein!
KLAUS-D.:	Aber, Sabinchen! (sie steht zerzaust, atemlos, vor ihm)
THOMAS:	Ach! So ist das! (Klaus-Dieter steht auf)
SABINE:	(zu Thomas) Du bist ja verrückt! Dein Bruder, der Scheißkerl, hat mich plötzlich angefallen!
KLAUS-D.:	(holt sich eine Zeitung) Also jetzt husten die Fische! Angefallen? Gefallen hab ich ihr! Wollte sie wohl sagen. Und nu? Schämt sie sich auch noch! (zu Sabine) Mußte doch nicht! (zu Thomas) Warum platzte auch so unangemeldet hier rein? (ab ins Klo)
THOMAS:	Ja, was stimmt denn nun?
SABINE:	(empört) Ihr kotzt mich an, alle beide! Einer beschissener als der andere! (ab)
	(Thomas wirft sich bäuchlings aufs Bett)
MARTINA:	Tommy! Hast du'ne Macke?

THOMAS:	(wirft ihr ein Kissen vor die Füße) Du halt dich raus, du Riesenbaby! Du hast doch keinen Schimmer!
MARTINA:	Glaubst du im Ernst, Sabine würde im Leben was mit dem Drücker anfangen?
THOMAS:	Klar! Haste ja gesehen! Das ist doch genau der Typ, auf dem die steht! Sicherheit, Zukunft, festes Einkommen, hohe Rente, Langeweile, Angeberfresse — das wollen sie doch alle! Was hab ich denn zu bieten?
MARTINA:	Ich denke, du wirst Fernsehreporter?
THOMAS:	Glaubt mir ja doch keiner.
MARTINA:	Und du selber?
THOMAS:	Ich weiß überhaupt nichts mehr! (zieht sich sein Kopfkissen über den Kopf)
MARTINA:	Du? (setzt sich aufs Bett und zieht ihm das Kissen weg) Ich weiß, warum du so bist. Weil du die anderen heute verraten hast.
THOMAS:	Was ist los? (kommt hoch)
MARTINA:	Das ist immer so. Ich hab mal meine Freundin verpetzt, früher. Da war mir den ganzen Tag schlecht. Und Durchfall hatte ich auch ...
THOMAS:	Sag, mal, woher hast du denn den ganzen Stuß?
MARTINA:	Wenn du da heute mitmachen würdest, dann wär dir doch gleich wieder besser. Und sonst würdest du mindestens Klassenkeile kriegen! Und bei Sabine hätteste verschissen bis in die Steinzeit!
THOMAS:	(richtet sich auf) Woher du das hast!
MARTINA:	(springt auf, tritt zurück) Hä hä! Ich petz doch nicht!
THOMAS:	Was soll denn heute sein?
MARTINA:	Um vier ist Kriegsrat im Heim.
THOMAS:	(geht ein Licht auf) Schnulli! Du hast das alles von Schnulli! Das Riesenbaby geht mit Schnulli! Du, das is'n Schläger!
MARTINA:	Na und? „Festes Einkommen und hohe Rente" ist bei dem jedenfalls nicht. Aber der läßt sich nichts gefallen. Und der macht, was er sagt. Verstehste? Mit so'ner Pfeife wie dir würde ich auch nicht gehen ... Aber laß man, kann ja noch werden mit dir. Jungs sind eben Spätentwickler!
THOMAS:	Ich glaub, meine Oma geht mit Elvis! (schlägt eine Rückwärtsrolle auf dem Bett)

(Zwischenmusik)

11. Bild

Freizeitheim. HELLA liest. Auftritt CHARLIE. Er sieht sich um — keiner da.

HELLA:	Hallo Charlie! Tach. Na, was machen sie denn nun mit dir?
CHARLIE:	Ich muß in die Parallelklasse, zum Mackenmüller.
HELLA:	Diese Schweine!
CHARLIE:	Wir machen da aber nicht mit!
HELLA:	„Wir"?
CHARLIE:	Ja, unsere Klasse! Wir machen jetzt'n Kriegsrat.
HELLA:	Wo? Hier?
CHARLIE:	Genau! — Aber natürlich keiner da! Weil sie alle Schiß haben! (SABINE und DORIS kommen)
HELLA:	Da kommen ja schon welche. Siehste.
CHARLIE:	Puh! Weiber ...
SABINE:	Jetzt paß mal auf, Charlie: Wir sind wegen dir hier.
DORIS:	Wir können ja wieder gehen.
CHARLIE:	Hab ich das gesagt?
HELLA:	Wo bleibt denn Schnulli?
SABINE:	Der findet das Kacke. „Quatscherei", hat er gesagt.
DORIS:	Der macht was alleine, hat er gesagt.

CHARLIE:	(enttäuscht) Alleine ...
SABINE:	Ja — was soll denn nu sein?
HELLA:	(zu Charlie) Was willst du jetzt machen, Charlie?
CHARLIE:	Was fragste mich das?
HELLA:	Na, weshalb bist du denn hier?
CHARLIE:	Ich? Naja! Interessiert einen doch, was sie wegen einem machen wollen.
HELLA:	(zu Doris) Und du, hast du'ne Idee? Du warst doch mit dabei, im Kaufhaus.
DORIS:	Ich? Ich war hier bloß mit Sabine verabredet.
CHARLIE:	Das hab ich mir gedacht, ihr Pfeifen.
HELLA:	Und jetzt wartet ihr alle auf den lieben Gott, daß der kommt und was macht.
SABINE:	Fällt dir vielleicht was ein?
HELLA:	Das muß von euch selber kommen! Sonst taugt euer Kampf nichts!
DORIS:	Was denn: Kampf?
HELLA:	Na klar! Der Kampf um eure Selbstbefreiung, um eure Emanzipation!
CHARLIE:	Das hältste ja —
SABINE:	Wir wollen doch bloß, daß Charlie in unserer Klasse bleibt.
HELLA:	Klar, aber warum soll er denn in eine andere Klasse? Das ist doch nur ein Symptom!
DORIS:	Haste keinen Schrank zu Hause zum Vollquatschen?
THOMAS:	(kommt verklemmt herein, gibt sich einen Ruck) Hallo! Na? Jetzt machen wir Nägel mit Köpfen, wa?
DORIS:	Der Streber!
CHARLIE:	Der Einsen-Schreiber!
SABINE:	Was willst'n du hier?
THOMAS:	Na, hier ist doch Kriegsrat, oder?
SABINE:	Ach nee ... Und heute morgen? Bei Gabler? Was war da?

THOMAS:	Da? Ach — da war ich gerade mal'n bißchen weggetreten ... Mußte doch nachdenken. Was man wegen Charlie machen kann. (Gelächter)
DORIS:	Das erzähl man deiner Oma!
CHARLIE:	Und was ist bei rausgekommen, bei's Denken?
THOMAS:	Also: auf keinen Fall gefallen lassen! Draufhaun!
CHARLIE:	Auf'n Gabler! Mit'm Hammer!
SABINE:	n' Hammer haste ja.
THOMAS:	Wieso denn?
HELLA:	Warum macht ihr denn keinen Schulstreik?
SABINE:	Schulstreik zu dritt?
DORIS:	Wer soll'n das merken?
CHARLIE:	Bis uns was einfällt, hat Schnulli die Schule längst in Brand gesteckt.
THOMAS:	Ich hätte ja 'ne Idee
CHARLIE:	Kannste verbuddeln.
THOMAS:	Wir machen Flugblätter.
HELLA:	Find ich heiß!
THOMAS:	(zu Hella) Gib mal was zum Schreiben! (Hella gibt ihm Zettel und Stifte an der Bar)
DORIS:	Kannste alleine machen.
SABINE:	Was denn für Flugblätter?
THOMAS:	Die verteilen wir überall. In der ganzen Schule. Und in der ganzen Gegend
CHARLIE:	Und in ganz Europa.
HELLA:	Mensch, laß ihn doch ausreden!
THOMAS:	Und da steht dann drauf: „Hände weg von Charlie Braun!" (unvermutetes Interesse) „Was erlaubt sich Gabler?" — „Gabler findet Arbeitslosigkeit dufte." — Hat er doch gesagt! „Kaufheim bescheißt Praktikanten!" — Na, und so was alles. Und zum Schluß unsere ganzen Forderungen: „Charlie bleibt in der 9 a." — —
DORIS:	„Der Dreckstall von Schule muß renoviert werden!"
CHARLIE:	Und „Gabler raus, das Schwein."
THOMAS:	Jawoll.
HELLA:	Und wenn nicht, gibt's 'nen Schulstreik. Dufte!
SABINE:	Und warum machste das alles?
DORIS:	Hör doch auf damit!
THOMAS:	Manche Jungen sind eben Spätentwickler!
SABINE:	Und wie drucken wir das?
THOMAS:	In der Schule ist doch'n Apparat zum Abziehen.
SABINE:	Dann fliegt die Schmidten raus, wenn wir sowas machen.
THOMAS:	Was soll'n wir denn sonst machen? Sollen wir die Sprüche an die Klotür schreiben?
SABINE:	An die Mauer! Vom Schulhof!
CHARLIE:	Mensch — !
DORIS:	Das kann man ansprühen! (hält sich den Mund zu)
HELLA:	Mit Farbspray! Das müßt ihr machen! Ganz spontan!
THOMAS:	Los! Jeder schreibt einen Spruch auf.
DORIS:	Iih! Ist ja wie in der Schule.
SABINE:	Dann läßte's bleiben. (Doris langt sofort nach einem Bleistift)
CHARLIE:	Und keiner darf rauskriegen, wer's war. Keiner! (sie brüten und schreiben)
WOLF:	(kommt herein) Hallo, hallo! — Na, was ist denn hier los? Habt ihr was ausgefressen?
HELLA:	Quatsch.
WOLF:	(schnüffelt) Geraucht wird auch nicht? Kein Alkohol? Pornos auch nicht?
HELLA:	Hör auf!
WOLF:	Darf ich mal? (greift sich einen der Zettel)
CHARLIE:	Hey, was soll'n das?

WOLF:	(liest) „Steckt die Schule in Brand!" — „Gabler an den Galgen!" — Nee, Kinder, nicht hier! Nicht, solange ich hier Heimleiter bin! Für Terroranschläge ist hier nicht der Raum (liest) „Charlie kommt zurück." (zu Hella) Du hast wohl 'ne Meise!
HELLA:	Mensch, die sammeln doch erstmal. Sind doch nur Sprüche. Die werden doch noch diskutiert.
WOLF:	Darüber auch noch diskutieren? Nicht mit mir!
THOMAS:	Nun regen Sie sich doch wegen so einem Quatsch nicht auf.
CHARLIE:	(empört) Quatsch?
WOLF:	(ebenso empört) Quatsch!? Und wenn die Kripo kommt? Und kriegt das hier in die Finger? Und macht hier dicht? Ist das dann auch bloß Quatsch? (Thomas zerreißt die Zettel)
CHARLIE:	Äi!!
SABINE:	Setz dich hin! (Doris zerrt Charlie von hinten auf ihren Stuhl herunter)
THOMAS:	(gibt Wolf die Schnipsel) Ist ja gut ...
WOLF:	(nimmt die Schnipsel) Nichts ist gut! (ab)
THOMAS:	(sobald Wolf ab ist) Also, was schreiben wir nun wirklich?
CHARLIE:	Ich weiß: „Gabler ins Kaufhaus!" (Gelächter)
HELLA:	Dufte!
SABINE:	Und was ist mit Charlie?
DORIS:	„Charlie rein und Gabler raus!" — — „Alles klar in diesem Haus."
HELLA:	Heiß!
THOMAS:	Gut!
SABINE:	Klasse! (sie klopfen Doris auf die Schulter)
DORIS:	Was denn? Ihr spinnt doch! War doch bloß so'ne Idee ...

ALLE (außer Doris) üben sich den Spruch ein:
Alles klar in diesem Haus! Charlie rein und Gabler raus! Alles klar in diesem Haus! Charlie rein und Gabler raus!

DORIS:	Wer sprüht'n das an?
HELLA:	Ich besorg die Farbe.
DORIS:	Also, ich hab ja den Spruch gemacht.
CHARLIE:	Und ich kann mich ja nicht selber ansprühen!
THOMAS/SABINE:	(gleichzeitig) Ich mach das.
THOMAS:	(grinsend) Alte Pflaume!
SABINE:	(lächelnd) Alter Arsch, du!
ALLE:	(brüllen) Alles klar in diesem Haus! Charlie rein und Gabler raus!
WOLF:	(kommt hereingestürmt. Wie ein Überecho) Raus!!! (alle lachen)

Song: WIR HAU'N ZURÜCK

Melodie wie „Ich hau zurück" (4. Bild)

THOMAS, SABINE,
CHARLIE, DORIS:

Haut dir einer in die Fresse
Kriegste hinterher die große Wut
Aber keine Sau der Welt hat dran Interesse
Was sich innen in dir drinne denn so tut
Also mußte erst mal Leute finden
Mit der gleichen Wut im Bauch wie du
Und eh'se uns das nächste Mal verdreschen
Schlag'n wir lieber kurz mal selber zu

> Wir hau'n zurück
> Wir hau'n zurück
> Hab'n wir vielleicht angefangen?
> Kein Stück!
> Da gibt's 'ne Menge Nieten
> Die lassen sich alles bieten
> Aber ich sage dir
> Nicht mit mir
> Junge, nicht mit mir!
> Wir hau'n zurück
> Wir hau'n zurück
> Hab'n wir vielleicht angefangen?
> Kein Stück!

12. Bild

An der Mauer ist die Parole „Alles klar in diesem Haus! Charlie rein und Gabler raus!" angesprüht. DUNJA und MARTINA kommen auf den Hof.

DUNJA:	Martina, kuck mal, da steht es!
MARTINA:	Mensch, das haben die dufte gemacht!
	(GABLER tritt auf)
DUNJA/MARTINA:	Guten Morgen!
GABLER:	Guten Morgen! (tritt an die Mauer heran) Lemke! – Ihr da! Weg da!
MARTINA:	Wieso denn?
DUNJA:	Ist noch nicht acht!
GABLER:	Keine Diskussion! (ruft ins Off) Lemke!!
MARTINA:	Warte, wenn der erst mitkriegt, daß Schnulli seine Scheiben kaputtgemacht hat!
GABLER:	Du gehst zum Hausmeister und holst Lappen und Wasser und wischst es ab. – Na los!
DUNJA:	Bin ich Putzfrau? (beide Mädchen ab)

QUERULEIT:	(eilt auf den Hof, mit einer Glasscherbe in der Hand) Herr Gabler, es hat sich was ereignet. Ein Zwischenfall. Stellen Sie sich das vor, ich komme heute früh ...
GABLER:	Schauen Sie sich das an, Kollege Queruleit! Was sagen Sie dazu?
QUERULEIT:	Also, ich weiß gar nicht, was ich dazu sagen soll.
GABLER:	Das ist Terror!
QUERULEIT:	Wie soll man denn da noch unterrichten?
GABLER:	Ich laß mich von denen doch nicht kaputtmachen!
SCHMIDT:	(kommt) Guten Morgen!
GABLER:	Guten Morgen, Frau Schmidt! Schauen Sie sich das an! Wer wird das wohl gewesen sein?
SCHMIDT:	Das wird die 9a gewesen sein!
GABLER:	Sie geben das also zu?
SCHMIDT:	Ich gebe gar nichts zu! (Gabler schnappt nach Luft)
QUERULEIT:	(hält die Glasscherbe hin) Und das? Was ist das?
GABLER:	Ja, was ist das denn?
QUERULEIT:	Das ist aus Ihrem Büro. Die Scheiben sind kaputt! Anarchistische Gewalttäter haben in der Nacht in brutalster Weise hinterrücks die Scheiben eingeschlagen!
GABLER:	Alle?
QUERULEIT:	Alle beide, ja. Völlig kompromißlos.
GABLER:	Das ist der sinnlose Terror einer radikalen Minderheit!
QUERULEIT:	Außerdem ist es Sachbeschädigung!
SCHMIDT:	Reden wir doch endlich mal darüber, was dazu geführt hat ... (THOMAS, SABINE und DORIS treten auf)
SABINE:	Guten Morgen, Frau Schmidt!
SCHMIDT:	Guten Morgen!
THOMAS:	Was is'n hier los?
QUERULEIT:	Frag' nicht so dumm. Du bist der Schlimmste!
SCHMIDT:	(zu Queruleit) Also — was soll denn das?
DORIS:	(laut zu ihren Mitschülern) Ich glaube, da hat einer was rangeschrieben!
THOMAS:	Meinste?
SABINE:	Wer kann das wohl gewesen sein ... Sowas! (Alle drei ab)
QUERULEIT:	Ein Ton herrscht in dieser Klasse!
GABLER:	Sie sagen es!
SCHMIDT:	Wundert Sie das? Das hat alles seine Gründe: Das fängt an bei Ihrer merkwürdigen Methode, einen Schüler zu bestrafen, der sich gegen ein idiotisches Praktikum wehrt. Über meinen Kopf hinweg benachrichtigen Sie die Mutter, ohne die besondere Situation des Jungen zu berücksichtigen und die katastrophalen Folgen, die dieser Brief hat.
DUNJA:	(kommt zurück) Hausmeister nicht da! (Gabler holt wütend sein Taschentuch hervor) Selber putzen! Sehr gut! (rennt weg)
QUERULEIT:	Darf ich? (nimmt Gabler das Taschentuch ab und versucht, die Parole abzuwischen)
SCHMIDT:	Sie strafversetzen diesen Schüler und berufen sich dabei auf einen Kollegiumsbeschluß, den es nie gegeben hat!
QUERULEIT:	Kollegiumsbeschluß? Was denn für ein Kollegiumsbeschluß?
GABLER:	Frau Schmidt, ich glaube, Sie sind sich über die Folgen Ihres Benehmens nicht im klaren!
DIE SCHÜLER:	(aus dem Off) Alles klar in diesem Haus! Charlie rein und Gabler raus! (zweimal)
GABLER:	Die Saat geht auf! Das ist genau die Politisierung des Unterrichts, über die sich Eltern dauernd beschweren!
SCHMIDT:	Welche Eltern haben sich beschwert?
GABLER:	Welche? Nun ja, das wird jedenfalls nicht mehr lange dauern, nicht wahr, bis es Beschwerden nur so hagelt ...

SCHMIDT:	Bis dahin sollten Sie mit solchen Behauptungen besser warten, Herr Gabler!
GABLER:	Sie haben mir gar nichts zu sagen! Sie verharmlosen hier den Tatbestand einer vorsätzlichen Sachbeschädigung!
SCHMIDT:	Sachbeschädigung! Und was hier mit den Schülern passiert, dafür gibt es noch gar keinen Ausdruck. Das müßte — — Personenbeschädigung heißen!
GABLER:	Das gibt ein Disziplinarverfahren, das sich gewaschen hat! Allein, was Sie hier in aller Öffentlichkeit an kommunistischer Hetze verbreitet haben, das genügt schon. Kollege Queruleit, Sie sind Zeuge!
QUERULEIT:	Leider, Herr Gabler, leider! Und noch etwas: Es geht tatsächlich nicht ab!
	(Gabler nimmt ihm wütend das Taschentuch ab; SCHNULLI und CHARLIE kommen.)
SCHNULLI:	Starker Spruch!
QUERULEIT:	Aha! Die Täter!
GABLER:	Du hast die Schweinerei begangen!
CHARLIE:	Ich? Geht doch gar nicht! Dann hätte ich ja schreiben müssen: Ich rein!
QUERULEIT:	(zu Schnulli) Du da! Du steckst dahinter!
SCHNULLI:	Ich kann nicht schreiben! Ich hab'n Ding am Kopf! Fragen Sie die Schmidten!
GABLER:	(zu Frau Schmidt) Bitte! Dem ist ja wohl nichts mehr hinzuzufügen. Sie können sich darauf verlassen, daß ich umgehend die notwendigen Maßnahmen ergreifen werde, um den ordnungsgemäßen Ablauf des Unterrichts zu gewährleisten.
SCHMIDT:	Als was verstehen Sie sich eigentlich — als Pädagoge oder Polizist?
Song:	DIE HAUPTSCHULLEHRERIN
FRAU SCHMIDT:	1. Vollgestopft mit Illusionen

FRAU SCHMIDT:

1. Vollgestopft mit Illusionen
Trittst du deinen Weg hier an
Denkst dir, daß man mit Vertrauen
Offenheit und schönen Reden
Wunder was erreichen kann

Doch da erntest du nur Spott
Deine Klasse übt Boykott
Und dann raten dir die Lieben:
Frollein, gehn'se doch nach drüben

Ja, da fällt einem doch der Warnspruch ein
Der so falsch gar nicht ist:
E i n kluges Wort, und schon
— ist man Kommunist

2. Fast zwei Drittel aller Kinder
Landen hier im Hauptschulmief
Täglich hast du die Beweise
Täglich siehst du, daß es nicht nur
In der Schule — Klassen gibt

Bald durchschaust du, daß der Staat
Ein Interesse hat,
Sich dies Ghetto zu erhalten
Drum bleibt alles schön beim alten

Doch ich werde mich hüten, ins Detail zu gehn
Ich weiß doch, wie das ist:
E i n kluges Wort, und schon
— ist man Kommunist

= DIE HAUPTSCHULLEHRERIN =

Vollgestopft mit Illu-sio——— nen
trittst du deinen Weg hieran, denkst dir, daß man mit Ver-trauen, offenheit und schönen Re-den wun-der was er-rei-chen kann —
— Doch da ern-test du nur Spott, Deine Klasse übt Boykott, und dann
sa gen dir die Lie— ben:
Fro llein, gehn'se doch nach drüben! Ja, da
fällt einem doch der Warn-spruch ein, der so falsch gar nicht ist —
Ein kluges Wort und schon —
ist man Kommunist!

3. Vollgestopft mit Illusionen
Ahnten wir nicht, was uns droht
Heut' sind Lehrer-Praktikanten
Angepaßte graue Mäuse
Bibbernd vor'm Berufsverbot

Wer jetzt nicht brav die Klappe hält
Kriegt später nicht mal Stempelgeld
Drum keine Extratouren drehen
Zum Beispiel: Ins Theater gehen

Denn man kennt ja von Kollegen schon das Risiko
Das damit verbunden ist:
E i n m a l   ins GRIPS, und schon —

(Die Schlußstrophe bezieht sich auf die aktuellen Angriffe, denen das GRIPS-THEATER in Berlin ausgesetzt ist. Für Aufführungen in Westdeutschland wird folgender Schluß vorgeschlagen:)

....
Wer jetzt nicht brav die Klappe hält
Kriegt später nicht mal Stempelgeld
Sowas soll die Schüler lehren
Sich anzupassen statt zu wehren

Doch bedenken wir, was angesichts der Lage
So alles möglich ist:
Einmal kriegt wer die Wut
Und wird wirklich —

13. Bild

Wohnzimmer Kowalewskis. Auftritt ELSA, genau wie im 5. Bild. Sie geht ab, Geschirrklappern. Nach einer Weile kommt KARL, ebenfalls genau wie im 5. Bild.

KARL:	Elsa!!
ELSA:	Karl? Du bist schon da?
KARL:	Was'n sonst! Wo sind die Kinder?
ELSA:	Ach, die müssen gleich kommen. Das Essen ist auch bald fertig.
KARL:	Was heißt ,,bald"?
ELSA:	Naja. 'ne knappe Viertelstunde ... (er wendet sich zur Tür) Kalle — !
KLAUS-DIETER:	(kommt, wie im 5. Bild) Tach, Pappi! Na? (geht zum Sofa. Karl will abgehen. Elsa bringt Bier und Glas.)
THOMAS:	(kommt) Tach! (die übliche kumpelhafte Halb-Umarmung) Na, wie war's?
KARL:	In Afrika?
THOMAS:	Nichts los, wa? Aber hier war was los! In der Schule!
KARL:	Hä? Hat's gebrannt?
THOMAS:	Noch nicht! Aber geknallt hat's! Und gestreikt!
KARL:	Was — gestreikt! In der Schule?
THOMAS:	Naja, nicht richtig. Aber auf'n Putz gehauen haben wir! Wegen einem aus unserer Klasse! Und wegen dem Betrug beim Praktikum, und wegen dem gleichen Betrug in der Schule — —
KARL:	Na, das ist doch wohl das letzte! Was is'n das für 'ne Schule! Was lernen sollt ihr da! Für's Leben!
THOMAS:	Tun wir ja!

KARL:	Krawallmachen? Für's Leben? Daß du in'n Knast kommst? Was sagt'n der Lehrer dazu?
THOMAS:	Die Lehrerin ist doch auf unserer Seite!
KARL:	Ist wohl 'ne Linke?
THOMAS:	Und jetzt will der Rektor sie feuern!
KLAUS-DIETER:	Bravo! Zustände sind das ...
THOMAS:	Halt dich raus, du!
KLAUS-DIETER:	Kleiner Bolschewik, wa? Student, wie?
MARTINA:	(kommt, wie im 5. Bild) 'n Abend ...
KARL:	Und wo kommst du jetzt wieder her —? (Elsa kommt aus der Küche)
MARTINA:	Vom Park!
KARL:	Vom Park!
KLAUS-DIETER:	Vom Park!
ELSA:	Wann haste zu Hause zu sein?
MARTINA:	Ist mir egal. — Thomas, ich muß dir noch was sagen. (sie will ab, Thomas will hinterher)
ELSA:	Du bleibst und deckst den Tisch! Und über das andere sprechen wir uns noch! (ab in die Küche)
KLAUS-DIETER:	Das ist vielleicht 'ne Rotzgöre ...
THOMAS:	Halt dich raus oder ich zieh dir das Rückgrat durch die Nase, daß du deinen Arsch am Henkel tragen kannst!
KLAUS-DIETER:	So. Das langt. (will auf Thomas los, Martina stellt ihm ein Bein)
KARL:	Ruhe hier! Sonst knallt's! (sorgt handgreiflich für Ordnung) — Martina, was hast du um diese Zeit im Park zu suchen?
MARTINA:	Das geht dich nichts an. (Karl klebt ihr eine)
KLAUS-DIETER:	Richtig so.
KARL:	Was hast du da gemacht?
THOMAS:	Mann, ich kann's dir sagen, Vati! Da war'n Treffen mit ihrer Schulklasse!

KARL:	Stimmt das? (Martina nickt)
KLAUS-DIETER:	Alles gelogen ...
KARL:	Und warum gibste freche Antworten? Was will'n euer Lehrer mit euch im Park?
MARTINA:	Unser Lehrer! Der weiß doch davon nichts, die Pfeife!
KARL:	(klebt ihr noch eine) Das ist immer noch dein Lehrer! Und die Schule ist zum Lernen da, und nicht zum Krawallmachen, ihr Doofköppe!
ELSA:	(off) Martina !!
MARTINA:	(zu Thomas) Hab' ich doch immer gesagt! Eltern reinziehen, hat keinen Zweck! Die machen nie mit! (ab in die Küche)
KARL:	Allerdings nicht! — Wo machen die nie mit?
THOMAS:	Zum Beispiel: Unserer Lehrerin helfen ...
KARL:	Der werd' ich helfen, worauf du einen lassen kannst, du. Das sind ja Zustände, sind das — da kommt ihr doch glatt bei unter die Räder!
MARTINA:	(kommt gerade mit Tellern aus der Küche) Genau!
(Es klingelt, Martina rennt zur Tür)	
KARL:	Wegschicken! Wir essen — hoffentlich ...
SCHMIDT:	(kommt hinter Martina ins Zimmer)
THOMAS:	Die isses!
ELSA:	Guten Tag, Frau Schmidt! Ich bin gerade beim Kochen. (wischt sich die Hände an der Schürze ab)
SCHMIDT:	Na, dann schau ich noch mal rein, wenn Sie gegessen haben.
ELSA:	Aber bleiben Sie doch! — Karl! (Karl erhebt sich) Setzen Sie sich doch! Tasse Kaffee? Oder lieber ein Bier?
SCHMIDT:	Ach, lieber ein Bier. (Elsa ab. Frau Schmidt zu Karl) Guten Tag, Schmidt ist mein Name. Ich bin die Klassenlehrerin von Thomas.
KARL:	Tja ... (lädt sie mit einer Geste zum Sitzen ein) Tja ...
SCHMIDT:	Danke. (setzt sich)

ELSA:	(off) Martina!
KARL:	(zu Martina und Thomas) Ab! (sie verdrücken sich. Zu Klaus-Dieter, der sich setzen will) Du auch! Ihr müßt nicht überall eure Löffel rein-hängen!(Klaus-Dieter ab) Tja ...
SCHMIDT:	Freut mich, daß ich Sie endlich mal kennenlerne, Herr Kowalewski.
KARL:	Tja ...
SCHMIDT:	(nimmt ein Kuscheltier vom Sofa) Niedlich ...
KARL:	Für die Kinder.Bring ich immer von der Tour mit.
SCHMIDT:	Thomas hat mir von Ihrer Arbeit erzählt. Daß Sie immer nur für kurze Zeit zu Hause sind.
KARL:	Ja, in meinem Beruf ist das so. Die meiste Zeit ist man auf Tour. Und wenn man nach Hause kommt, schläft man sich aus, und wenn man Pech hat, muß man gleich am nächsten Tag wieder raus. Das ist ganz verschieden.
SCHMIDT:	Wie ist es denn morgen? Sind Sie da noch zu Hause?
KARL:	Im Prinzip ja. Wenn nichts dazwischen kommt. Warum denn?
SCHMIDT:	Wir haben morgen Elternversammlung. Und es wäre sehr schön, wenn Sie Zeit hätten.
KARL:	Ja — wieso? Das kann doch meine Frau machen — — —
SCHMIDT:	Sie sind aber beide wichtig. Deswegen bin ich ja hier. (Thomas bringt Bier und Aschenbecher)
THOMAS:	Kann ich zuhören?
SCHMIDT:	Natürlich. (Thomas setzt sich)
KARL:	Das handelt sich wohl um den Krawall. Thomas hat davon erzählt. Also — sowas geht doch nicht! Da muß man doch durchgreifen. Ich meine, Ihr Rektor! Das sind doch Zustände — das geht einfach nicht. Der Schü-ler soll doch was lernen!
SCHMIDT:	Genau. Das meine ich auch, Herr Kowalewski.
KARL:	Da muß doch Ordnung herrschen.
SCHMIDT:	Sicher. (prosten sich zu) Aber doch keine Ordnung wie auf dem Kaser-nenhof.
KARL:	Ach, so isses doch gar nicht mehr. Früher vielleicht. Die ganzen Refor-men, die gab's ja noch nicht zu meiner Zeit. Da hat doch der Staat 'ne ganze Menge gemacht inzwischen.
SCHMIDT:	Reformen? Was lernen die Schüler denn heute? Sie müßten doch auf das Berufsleben vorbereitet werden.
KARL:	Allerdings.
SCHMIDT:	Aus Thomas' Klasse hat bis jetzt ein Drittel eine Lehrstelle in Aussicht. In anderen Klassen sind es vier oder fünf.
KARL:	Tja, sieht ja nicht gut aus mit unserer Wirtschaft.
SCHMIDT:	Und wie werden sie vorbereitet? Sie lernen „ja" sagen, sich anpassen. Genau das sollen sie ja später. Mit Duckmäusern kann man alles ma-chen.
KARL:	(unsicher) Zigarette?
SCHMIDT:	Nein, danke. — Was müßten sie eigentlich lernen? Sich nichts bieten lassen, also: kritisches Denken, schnell kapieren —
KARL:	— jawoll !
SCHMIDT:	Zusammenhänge erfassen, die Ursachen ihrer Misere durchschauen und die Konsequenzen daraus ziehen. Aber das steht nicht auf dem Lehr-plan, Herr Kowalewski!
KARL:	Na ja ...
SCHMIDT:	Im Gegenteil: Das heißt „Disziplinlosigkeit" und wird mit schlechten Zensuren bestraft.
KARL:	Also wenn ich an Thomas denke, der ist doch kein Duckmäuser ...
SCHMIDT:	Nein, noch nicht, zum Glück ...
KARL:	Na also! Was ist denn nun eigentlich passiert?

THOMAS:	Na, der Charlie, den wollten sie aus unserer Klasse rausschmeißen. (Karl winkt ihm ab)
SCHMIDT:	Ein Schüler ist strafversetzt worden, weil er sich gegen ein sinnloses Berufspraktikum gewehrt hat. Jetzt sind die Mitschüler natürlich empört.
THOMAS:	Genau.
KARL:	Aha.
SCHMIDT:	Aber darüber wollen wir morgen abend ausführlich sprechen. Es ist doch so: Eltern und Lehrer müssen sich da gemeinsam was überlegen.
KARL:	Was hat denn das mit mir zu tun? Thomas weiß doch, was er werden will.
SCHMIDT:	Was er will, schon, aber damit ist es heute nicht getan. Sie wissen doch, wie viele Hauptschüler nach dem Abgang Hilfsarbeiter werden oder überhaupt auf der Straße liegen. Und die wollten alle mal was werden, was Sinnvolles. (Martina kommt mit den Löffeln)
SCHMIDT:	Sie wollten ja essen. Ich muß sowieso gehen. (steht auf) Ich muß noch zur Gewerkschaft.
KARL:	Als Lehrerin?
SCHMIDT:	Ja. — Ich habe Krach mit meinem Arbeitgeber.
KARL:	Und die Gewerkschaft hilft Ihnen dabei?
SCHMIDT:	Mal sehen. Also: Bis morgen.
KARL:	(unentschieden) Na ja ... Wenn nichts dazwischenkommt ...
SCHMIDT:	Das freut mich. Um halb acht in der Klasse. Und Ihre Frau bringen Sie mit. (will abgehen)
KARL:	Wiedersehen. — Und das soll 'ne Linke sein?
Song:	ALLE KOWALEWSKIS

Melodie wie „Kalle Kowalewski" (5. Bild)

MARTINA/THOMAS:	Der Vater lebt im Tran
	Die Mutter, die brüllt rum
	Der Bruder stinkt sich selber an
	Oh Mann
	Wir könn' uns alle nicht mehr sehn
	Das ist ja wohl auch zu verstehn
	Doch in der Schule ha'm wir gemerkt
	Es kann auch anders gehn
	Der Bruder braucht noch 'nen kräftigen Tritt
	Und morgen machen auch die Alten mit:

Alle Kowalewskis
Und nicht nur ich und du
Alle Kowalewskis
Und ihr gehört dazu

(wiederholen)

14. Bild

Freizeitheim. Die fünf SCHÜLER und HELLA sitzen mit hängenden Köpfen im Raum verteilt.

THOMAS:	Und nun?
DORIS:	Schweine sind das ...
HELLA:	Wie geht's denn nun weiter?
CHARLIE:	Nichts geht weiter. Wird bloß immer schlimmer.
HELLA:	Aber der Spruch war doch stark.
CHARLIE:	Da hat der Hausmeister mit Farbe rübergepinselt, und zur ersten Pause war er längst wieder weg.

HELLA:	Aber am Morgen haben ihn doch alle gesehn!
CHARLIE:	Glaubst du!
SABINE:	Und jetzt kriegen sie auch noch Frau Schmidt ran.
CHARLIE:	Sag ich ja! Wird bloß immer schlimmer!
THOMAS:	Die machen jetzt 'ne Lehrerkonferenz wegen ihr.
DORIS:	Schweine sind das ...
HELLA:	Was wollt ihr denn jetzt machen?
SABINE:	Nichts.
DORIS:	'n Flugblatt.
THOMAS:	'n Flugblatt?
DORIS:	Ich will 'n Flugblatt!
CHARLIE:	Was ist denn nu los?
DORIS:	Die haben mich reingelegt, die Schweine, das ist los! Bei Lindenschmidt, wo ich mich beworben habe. Ich sage dem Typ, von welcher Schule ich bin, kuckt er auf'n Zettel und fragt: ,,Waren Sie mit bei Kaufheim?" Ich sage: Ja. Sagt er: ,,War wohl'n Irrtum vom Amt, Fräulein." Hatten sie auf einmal nichts mehr für mich.
SABINE:	So'ne Schweinerei! Das glaubt dir doch keiner!
CHARLIE:	Das hältste ja im Kopf nicht aus.
DORIS:	Hätt' ich das doch bloß eher gewußt, daß ich da mit drinhänge, dann hätt' ich der Ollen von Kaufheim 'ne Spraydose in die Fresse gesprüht.
CHARLIE:	Siehste!
DORIS:	Und das muß auf'n Flugblatt! Der Mann hieß Metzger, oder so.
MARTINA:	(kommt mit Dunja) Alles mal herhören! Das Neueste vom Neuesten! Charlie — (sie macht Kunstpause)
SABINE:	Was ist mit Charlie?
MARTINA:	Charlie kommt wieder in eure Klasse!
SCHNULLI:	Was?
DUNJA:	Ja!
SABINE:	Stimmt das?
MARTINA:	Ja!
DUNJA:	Alles klar in diesem Haus!
ALLE:	(heben Charlie hoch) Charlie rein und Gabler raus!
SCHNULLI:	Jetzt nimmste einen zur Brust, Alter! (läßt Charlie auf den Boden fallen, reicht ihm den Flachmann)
CHARLIE:	Ist das wahr?
MARTINA:	Die ,,Schmierer und Scheibeneinschmeißer" sollen natürlich zur Rechenschaft gezogen werden.
DORIS:	Da können'se lange suchen.
SCHNULLI:	Wir halten dicht.
SABINE:	Vielleicht ist der Gabler doch nicht so'n krummes Aas. Muß ihm doch'n Licht aufgegangen sein, daß das nicht in Ordnung war, was er mit Charlie gemacht hat.
THOMAS:	Ach Quatsch. Auf sowas kommt der doch nicht von alleine. Auf sowas muß man den erstmal bringen!
SCHNULLI:	Der hat meine Klamotte an die Rübe gekriegt, und da hat's bei ihm mal für'n Moment geklickert.
DORIS:	Das war unser Spruch!
SCHNULLI:	Das war meine Klamotte! Und das nächste Mal kriegt er sie voll an die Rübe, dann sind wir'n los!
CHARLIE:	Dann wird der Mackenmüller sein Nachfolger. Was ist denn daran dufte?
THOMAS:	Das war doch nicht der Spruch! Und die Klamotte schon gar nicht! Mein — mein Alter, der war auf der Elternversammlung — —
SCHNULLI:	Ach, dann war das wohl dein — Alter ?
THOMAS:	Mensch, die haben sich beschwert, daß Charlie in die andere Klasse soll! Die Eltern! Waren zwar bloß acht da, aber früher kam überhaupt kei-

	ner! Und die meisten haben gesagt, wenn sich Schüler gegen ein Praktikum wehren, geht das die Schule 'n Dreck an. Und über Gablers Sprüche haben sie sich auch beschwert.
DORIS:	Die Alten!
CHARLIE:	Merkt ihr, was eigentlich passiert ist? Wir haben gewonnen!
DUNJA:	Der große Direktor hat Angst vor den kleinen Schülern!
THOMAS:	Wir haben doch immer gedacht: Die könn' mit uns machen, was sie wollen.
SABINE:	Klar. „Kann man nix machen, kommt ja doch, wie's kommt" — —
DORIS:	„Sind wir selber schuld, sind eben doof" —
CHARLIE:	Doof, aber süß.
DORIS:	(boxt ihn) Ich werd' gleich sauer.
SABINE:	Von denen da oben, da kannste direkt was lernen. Ich meine, wie die zusammenhalten ...
DORIS:	Wie Lindenschmidt und Gabler und Kaufheim. Alles ein Verein.
SABINE:	Bei uns ist jeder gegen jeden. Das geht schon in der Klasse los.
CHARLIE:	Ist doch gar nicht wahr!
SABINE:	Bisher war es aber so.
SCHNULLI:	Und nachher erst. Einer hat 'n Job, einer ist auf Trebe, einer geht zu den Bullen, und einer macht 'n Bruch.
MARTINA:	Und uns kennt ihr auch nicht mehr.
DUNJA:	Wir sind kleine Schüler, und ihr seid große Arbeitslose.
SABINE:	Wir haben doch was zusammen gemacht. Und das müßte so bleiben mit uns — auch später!
THOMAS:	Find ich gut.
SCHNULLI:	Ich auch. (zu Charlie) Wa, Dicker?
CHARLIE:	Klar, Dünner!
SCHNULLI:	Kuck mal, der wird frech!
HELLA:	Ihr müßt eine richtige Gruppe bilden.
ALLE:	(können das Gerede nicht mehr hören) Ja, ja.
	(FRAU SCHMIDT tritt auf)
MARTINA:	Kuckt mal, da ist sie!
SABINE:	(zu Frau Schmidt) Was wird denn nun mit Ihnen?
SCHMIDT:	Ach, vielleicht werde ich die Schule mit euch zusammen verlassen.
DUNJA:	Warum denn?
MARTINA:	Wir brauchen Sie doch auch noch!
SCHMIDT:	Ich darf dazu nichts sagen.
THOMAS:	Was?
SCHMIDT:	Bei einem schwebenden Disziplinarverfahren ist das eben so.
CHARLIE:	Was is'n das?
DORIS:	(über Charlie) Doof, aber süß, was?
THOMAS:	(zu Charlie) Das ist 'ne Untersuchung, ob sie was verbrochen hat. (zu Frau Schmidt) Warum kriegt man denn so'n Verfahren? Wenn man was von Kapitalismus erzählt?
SCHMIDT:	Nein, nein. Ein Verfahren kriegt man zum Beispiel, wenn festgestellt wird, daß man bei Diktaten Fehler übersehen hat.
SABINE:	Wegen so'n Quatsch?
SCHMIDT:	Oder wegen „wiederholter Verletzung der Aufsichtspflicht".
SABINE:	Hä?
SCHMIDT:	Wenn zum Beispiel Schüler Pommes frites kaufen, während der Lehrer Pausenaufsicht hat.
SCHNULLI:	Das mach ich jeden Tag!
SCHMIDT:	Eben.
THOMAS:	Aber in Wirklichkeit ist das doch ganz anders. Die woll'n Sie doch fertigmachen, weil Sie 'ne ganz dufte Einstellung haben, so — politisch. Das andere schieben die doch bloß vor ...

SCHMIDT:	Ich hab da wohl auch ein paar Fehler gemacht.
SABINE:	Was denn für Fehler?
SCHMIDT:	Ich hab' zu lange gedacht, ich kann mich alleine durchsetzen; dabei gibt's ja Kollegen, mit denen kann man zusammenarbeiten. Das hab ich eben auf der Konferenz gemerkt. Hätt ich auch eher drauf kommen können ...
THOMAS:	Mann, der Gabler, der dreht Dinger! Der schickt den Charlie zurück, damit wir denken, alles paletti.
CHARLIE:	Ist doch richtig!
THOMAS:	Wir fangen wieder an zu pennen, und da schmeißt er in aller Ruhe die Frau Schmidt raus. Das ist der Trick!
SABINE:	Das ist vielleicht verlogen!
SCHNULLI:	(zu Charlie) Und da sabbelst du rum von wegen „gewonnen"!
CHARLIE:	Was soll'n wir denn jetzt machen?
DORIS:	'n Flugblatt.
CHARLIE:	Meinste?
DORIS:	Klar! Weil der Gabler will, daß wir keins machen.
SABINE:	Hat 'se recht.
CHARLIE:	Wo 'se recht hat, hat 'se recht.
MARTINA:	Recht hat'se.
THOMAS:	Hella, ihr habt doch 'ne Schreibmaschine, oder?
HELLA:	Natürlich, im Büro.
THOMAS:	Die holen wir uns!
HELLA:	(geht ins Büro) He, Martin, gibst du mal die Schreibmaschine?
WOLF:	(off) Wozu?
THOMAS:	Wir wollen was aufschreiben.
WOLF:	(off) Wir haben keine Schreibmaschine!
HELLA:	(off) Da steht sie doch!
WOLF:	(off) Das ist die Schreibmaschine für's Büro. Die ist nicht für den öffentlichen Gebrauch zugelassen.
HELLA:	(kommt mit der Schreibmaschine, Wolf hinterher) Was heißt denn das? Wer bestimmt denn sowas?
WOLF:	Das sind ganz allgemeine Bestimmungen. Das liegt nicht an mir.
SCHNULLI:	(stellt sich Wolf in den Weg) Dann hol doch mal den her, an dem das liegt.
WOLF:	(zu Frau Schmidt) 'n Abend. (ab)
THOMAS:	Also, laßt euch was einfallen. Wir schreiben die ganzen Sauereien auf.
CHARLIE:	Schön!
THOMAS:	Was sie mit Charlie gemacht haben, was sie mit Frau Schmidt machen wollen, und was Doris bei Lindenschmidt passiert ist.
DORIS:	Der Mann hieß Metzger.
DUNJA:	Und was sie mit Ausländer-Kindern in Hauptschule machen.
THOMAS:	Genau.
CHARLIE:	Ja, los, kommt ran hier. (Dunja und Martina gehen zum Tisch)
THOMAS:	Und ich nehm morgen meinen Kassettenrecorder und mach Interviews. Was die Leute davon halten. Klasse! Das is'n Job.
MARTINA:	Ich denke, du willst zum Fernsehen?
THOMAS:	Bei dem Programm?
HELLA:	(bringt Papier) Hier!
SCHMIDT:	Macht euch nur nicht zu große Hoffnungen, daß ihr mit so einem Flugblatt gleich Erfolg habt.
SCHNULLI:	Dann lassen wir uns eben was anderes einfallen. Hauptsache, wir lassen nicht locker.
SABINE:	„Wir"?
SCHNULLI:	Natürlich wir. Alleine geht sowas nicht.
ALLE:	Der Schnulli — — !

SCHNULLI:	Jedenfalls hat sie hier (Handbewegung zu Frau Schmidt) was riskiert für uns. Und wenn der was passiert, dann passiert was. (Frau Schmidt ist gerührt)
CHARLIE:	Achtung! Wir machen einen Steckbrief! „Gesucht wird die Krawallbande! Bandenmitglieder sind Gabler, Kaufheim —"
DORIS:	„ — und Lindenschmidt."
SCHNULLI:	„Wo die Bande auftaucht, macht sie Krawall."
DUNJA:	„Wer kennt noch mehr Täter? "
DORIS:	Metzger hieß der Mann!
SABINE:	„Wo sind die Drahtzieher? "
THOMAS:	Nicht so schnell!
MARTINA:	„Wer steckt dahinter? "
THOMAS:	„Hinter der Bande steckt das kapitalistische System!"
SCHMIDT:	Wollt ihr das wirklich so schreiben? Ich hab da schlechte Erfahrungen gemacht, jedenfalls bei meinen Schülern — —

(Auftritt WOLF mit Girlanden wie im 8. Bild)

DORIS:	Eben. So'n System kannste nicht verhaften und einsperren.
WOLF:	Muß denn das alles hier sein?

(Während des folgenden Gesprächs reagieren nur einzelne auf Wolf; die anderen diktieren Thomas Sätze, entwerfen das Flugblatt und so weiter, sind also mit der Sache beschäftigt.)

CHARLIE:	Mann, was willste denn mit deiner Scheißgirlande hier? — Laß uns doch lieber den Laden mal aufräumen! — Wie sieht'n das hier aus! Ist ja peinlich!
WOLF:	Das liegt doch nicht an mir.
SCHNULLI:	Dann hol doch den mal her, an dem das liegt!
DUNJA:	(diktiert weiter) „Wo die Bande auftaucht, macht sie Krawall."
CHARLIE:	Morgen werden wir den Laden mal anstreichen.
SABINE:	Ja, das wird unser Hauptquartier.
WOLF:	Na, na, na!
DORIS:	(zu Wolf) Sie dürfen ja mitstreichen.
CHARLIE:	Aber bestimmen tun wir!
DORIS:	Im Hauptquartier bestimmen wir!
ALLE:	Im Hauptquartier bestimmen wir!
WOLF:	(winkt müde ab) Kennen wir, kennen wir. Selbstverwaltetes Jugendheim, wa? (lacht) Alle drei Monate bildet sich so!ne Gruppe. Das geht 'ne Woche gut, wenn's hochkommt. Und dann kann ich wieder die Stühle reparieren.
SCHMIDT:	(aufmunternd) Macht mal!
WOLF:	(skeptisch) Macht man, macht man! (ab)

(Das Licht bleibt stehen, geht dann langsam aus; man hört das unbeholfene Hacken auf der Schreibmaschine; die Schüler reden und arbeiten weiter am Flugblatt.)

Schlußlied

Um zu bessern deine Lage
Mußt du lernen
Sie zu erkennen
Um zu treffen deine Feinde
Mußt du wissen
Wo sie stehn

Um zu finden deine Freunde
Mußt du prüfen
Worte und Taten
Vertrau auf deine Fähigkeiten
Reden ist Silber
Handeln ist Gold

Um zu bessern deine Lage
Mußt du lernen
Mut und Umsicht
Haß und Güte
Offenheit und List
Unnachgiebige Geduld
Wissend
Die Stärkeren sind wir

Dieses Lied sollte am Ende des Stückes von allen Schauspielern auf der Bühne gesungen werden. Es stellt den Versuch dar, einige der Absichten, die wir mit unserer Arbeit, besonders mit diesem Jugendstück, verbinden, zusammenzufassen. Alle von uns Befragten (Schüler, Lehrer, Musiker, Theaterleute) waren der Meinung, daß das Stück eines solchen Kommentars nicht bedarf; im Gegenteil, sie meinten, daß es sogar schädlich sein könnte, den Zuschauern zum Schluß noch wohlformulierte Ratschläge mit auf den Weg zu geben, so als könnten sie die möglichen Lehren aus diesem Stück nicht selbst ziehen. Wir entschieden uns also nach der zweiten Vorstellung, dieses Schlußlied nicht mehr zu singen, obwohl ein Schauspieler sogar so weit ging, zu sagen: "Schade, ich hab das Stück eigentlich nur gespielt, um am Schluß dieses Lied singen zu können."

Die Musik

Das *Grips-Theater* nahm sich mit diesem Stück zum ersten Mal vor, die Altersgruppe der 13 - 17jährigen anzusprechen, deshalb stellte sich sehr früh die Frage, ob die bis dahin geübte Praxis der Stück-Lieder, die von einem Gitarristen am Rande der Szene begleitet wurden, für ein Publikum ausreicht, dessen Hörgewohnheiten von Schlager und Popmusik geprägt sind. Deshalb fragen wir bereits bei unseren ersten Gesprächen in Schulklassen nach der Musik, die die Hauptschüler am liebsten hören. Die Antworten reichten von Chris Roberts über Suzie Quatro und Beach Boys bis zu Frank Zappa. Uns war bald klar: eine Rock-Band muß her. Zusammen mit den beiden Komponisten studierten wir die Möglichkeiten. Damals hatte gerade Udo Lindenberg seinen Druchbruch mit der LP "Ball Pompös", wir hörten uns die Platten der verschiedenen Polit-Rock-Formationen wie "Ton, Steine, Scherben" an und stellten die Gruppe "Alarm" zusammen:
2 Gitarren, Bass, Klavier und Schlagzeug. Das stellte uns vor das erste große Inszenierungs-Problem: eine solche Gruppe braucht mindestens 10 qm Platz für die Instrumente, Verstärker, Mischpult usw. Dazu kommt, daß die Schauspieler natürlich über Mikrofon singen müssen. Unsere Spielfläche hat 100 qm, rundherum steigen die Zuschauerreihen an, wohin mit der Band? Wir verwarfen alle Möglichkeiten, die Musiker einzeln an den Rand der Spielfläche zu verteilen oder Teile des Zuschauerraumes abzubauen, und entschieden uns, die Band ganz offen auf die Bühne zu stellen, allerdings auf ein 1 Meter hohes Podest, um sie optisch ganz klar von der Spielfläche zu trennen. Dem Argument, die Zuschauer würden durch die Musiker abgelenkt, begegneten wir technisch dadurch, daß die Spielfläche auch von der Beleuchtung her abgegrenzt wurde, daß die Band ein eigenes Licht bekam, wenn sie spielte. Inhaltlich einigten wir uns darauf, daß, wenn die Zuschauer durch ruhig sitzende Musiker vom Spiel abgelenkt würden, dieses Spiel sowieso nichts taugen würde.
Mit der Entscheidung, die Musiker offen auf die Bühne zu stellen, war zudem eine grundsätzliche Entscheidung gefallen: es wird nicht "gemogelt".

Das Bühnenbild

In dem Stück kommen folgende Schauplätze vor: Kinderzimmer bei Kowalewskis, Klassenzimmer, Schulhof, Jugendfreizeitheim, Wohnzimmer bei Kowalewskis, Kaufhaus, Büro bei Lenz & Co. Wir verwarfen frühzeitig sämtliche Ideen, diese Räume auf der Bühne nachzubauen und Türen, Betten, Sofas, Sitzecken, Schulbänke, Schreibtische, Theken, Hauswände, Matratzenlager etc. auf die Bühne zu bringen. Unabhängig von den technischen Problemen des Entwerfens, Herstellens und Umbauens von Szene zu Szene gingen wir davon aus: wir wollen den Jugendlichen nicht zeigen, was Theaterleuten einfällt, wie souverän sie mit Bühnenbild und Licht umgehen können, um auf der Bühne Realität zu zaubern. Wir wollen vielmehr mit Materialien arbeiten, die die Jugendlichen theoretisch selbst in einem Jugendfreizeitheim vorfinden, wollten sie dort Theater spielen. Unsere Bühnen- und Kostümbildnerin Waltraut Mau entwarf deshalb 6 gleich große Podeste, die die verschiedensten Funktionen übernehmen konnten: im Kinderzimmer wurden zwei Podeste mit Laken, Kopfkissen und Bettüchern garniert und waren Betten, die übrigen 4 begrenzten den Raum, da das Zimmer klein und eng zu sein hatte. Für die Berufsberaterszene brauchten wir keinen genau definierten Raum, wir stellten zwei Podeste zusammen und erreichten so eine kleine "Bühne auf der Bühne". Im Schulhof wurden zwei Podeste hochgestellt, die stellten die Mauer dar, hinten wurden sie von dem Musikerpodest abgestützt, so daß Schnulli und Charlie sich anlehnen konnten. Im zweiten Teil wird diese Wand mit dem Spruch: "Alles klar in diesem Haus, Charlie rein und Gabler raus" besprüht, wir hängten also zwei gleichgroße Platten davor. Im Freizeitheim stellten die Podeste Sitzecken und Theke dar, deshalb wurde in der Ecke ein Teppich über die Podeste gelegt. Zuhaus bei Kowalewskis wurden die Podeste zu Sofas, einfach dadurch, daß ein Polsterbezugsstoff darübergebreitet und Schmuckkissen verteilt wurden... Als diverse Sitzgelegenheiten dienten sechs Stühle, und dann brauchten wir noch drei Tische. Um im Freizeitheim bei der Feten-Szene Girlanden aufhängen zu können, steckten wir an allen vier Ecken des Raumes lange Latten in die Podeste, bzw. das Musikerpodest, und schon war das Problem gelöst.

Einer der Höhepunkte in den Programmen der reisenden Groß-Zirkusse ist stets der perfekte Abbau des Gitters nach der Raubtiernummer durch das Zirkuspersonal. Bei uns machen das mangels Personal ein Techniker und sämtliche "Tiger und Löwen". Die zwölf notwendigenUmbauten zwischen den Szenen mußten von den Schauspielern genauso geübt und auf Tempo getrimmt werden, damit selbst die Überbrückung von Schauplatzwechsel noch interessant ist. Dazu spielte die Band "Umbaumusiken" und nicht selten gab es in den Vorstellungen spontanen Applaus für diese Umbauten. Trotz der "Armut" und Einfachheit des Bühnenbilds hat bisher keinem Zuschauer etwas am Bühnenbild gefehlt. Wie kommt das?

Eine Grundregel dieser Aufführung ist die Genauigkeit in Einzelheiten, im Typischen (Schmuckkissen auf dem "Sofa", Wachstischdecke, Pausenbrot, Flachmänner, Bouletten auf der Theke, Schultaschen mit Abziehbildern, "Mitbringsel" von Vater Kowalewski, Girlanden im Freizeitheim ...) , das heißt die Konzentration auf das Wesentliche – im Gegensatz zu einer filmischen Nachahmung der Wirklichkeit. Als Beispiele die Requisitenlisten für die 5. (Wohnnung Kowalewski) und die 8. Szene (Freizeitheim):

5. Szene:

6 Sofakissen	1 Briefmarken-Päckchen (Geschenk für Klaus-Dieter)
2 Couch-Decken	
1 Waschtischdecke	1 Bierflasche
1 Stofftischdecke	1 Bierglas
1 Vase mit Blumen	Zeitung für Klaus-Dieter
1 Suppenschüssel	Handtuch
5 Teller	Thermosflasche, Reisetasche
5 Löffel	Geschirrtuch
1 Suppenkelle	Schultertasche für Martina
1 Kuscheltier (Geschenk für Martina)	Garderobenständer
1 Modellauto (Geschenk für Thomas)	Einkaufsachen für Elsa

8. Szene:

1 Tisch	Pflaster für den Heimleiter
2 Stühle	Flaschenöffner
Teppich	Zigaretten
2 Aschenbecher	Kaugummi
2 Literflaschen Cola	Zigarettenpapier, Tabak für Hella
Bouletten auf Teller	Bessen
Biere	Kehrschaufel
Cola-Schild	Kreide
Karton mit Girlanden, Papierschlangen	Lappen zum Abwischen
Papiermond (Hutgummi für Girlande)	4 Stangen
Plattenspieler, Platten	Flachmänner
Pappbecher	

Die Arbeit der Schauspieler

Da die Personen des Stücks nicht "erfunden", sondern ausgewählt typische Schüler, Eltern Erzieher, usw. sind, war es sowohl für die Autoren wie für die Darsteller selbstverständlich, ihre Vorbilder kennenzulernen und zu studieren: Sprache, Bewegung, Gewohnheiten, Kleidung... Auf Schulhöfen, in Heimen und Diskotheken beobachteten wir, welche Jacken, Schuhe, Kleider die betreffenden Personen tragen; sammelten wir Redewendungen, Sprüche, belauschten Unterhaltungen, Streitigkeiten, Flirts. Wir studierten Gänge und Haltungen, (z.B. übte Dietrich Lehmann tagelang den schlurfenden Schritt in Heimleiter-Sandalen, Heinz Hönig (Schnulli) und Peter Seum (Charlie) zogen tagelang auch privat die hochhackigen Stiefel und die Rocker-Jacken nicht aus ...).

Die Schauspieler sind zwischen 8 und 18 Jahre älter als die von ihnen dargestellten Schüler. Wir hatten lange Zeit Bedenken, daß diese Tatsache ein jugendliches Publikum stören könnte. Aber die Genauigkeit in den Einzelheiten (Sprache, Kostüme, Haltungen) führte zu dem erstaunlichen Ergebnis: Die Jugendlichen hielten die Darsteller in der Regel für gleichaltrig und fragten oft in der Pause, ob es sich bei den Darstellern um "echte" Hauptschüler handle.

Besonderen Wert legten wir bei den Proben darauf, die Personen nicht zu "denunzieren". Wir fingen mit sehr ausführlichen Rollenbesprechungen an, überlegten uns bei allen Personen, welche Biographie sie haben, was sie so gemacht hat, wie sie sind, ob sie damit zufrieden sind, wie sie sind, und was aus ihnen werden könnte.Daß Thomas Kowalewski wie ein Traumtänzer durchs Leben geht, voller Rosinen im Kopf, sollte einerseits als illusionäre Haltung kritisiert, aber auch sympathisch dargestellt werden. Doris Bieber, die sich am Anfang des Stücks ihre Traum-Surrogate aus illustrierten Zeitschriften holt, sollte eben nicht als dümmlich abgestempelt werden, sondern wir wollten zeigen, daß vielen Mädchen nicht viel anderes übrig bleibt, daß sie aber sehr wohl, wenn es drauf ankommt, zu solidarischem Handeln fähig sein können. An Schnulli war sowohl die einzelkämpferische Attitüde zu kritisieren, aber auch die Kraft, die ihn in die Lage versetzt, gegen eine unmenschliche Umwelt zu revoltieren. An Charlie war einerseits zu zeigen, wie ein Schwächling, dem in seinem ganzen Leben Liebe und Zuneigung gefehlt hat, einem Leithammel folgt, in dessen Glanz er sich sonnen zu können glaubt, andererseits wird gerade er durch seinen "Dummen-Jungen-Streich" beim Auspreisen zum Motor für eine Entwicklung, die den zerstrittenen Haufen gegen Ende des Stückes zu einer gemeinsam handelnden Gruppe macht. Und die auf den ersten Blick farblos-vernünftige, verstehend-resignierende Sabine sollte den ganzen Reichtum an Empfindungen, die Hellsichtigkeit und "Jetzt-erst-recht"-Haltung einer 15-jährigen Hauptschülerin widerspiegeln, deren Zukunft als berufsloses Hausmütterchen vorgezeichnet scheint.

Ähnlich verfuhren wir mit den anderen Personen: die Lehrerin Schmidt, die merken muß, daß sie mit ihren Theorien, so richtig sie auch sein mögen, nicht an die Jugendlichen rankommt, solange es ihr nicht gelingt, das Vertrauen der Jugendlichen durch ihre Praxis zu gewinnen. Der Heimleiter Wolf, der schon zu weit von den Jugendlichen entfernt ist, als daß er ihre Probleme wirklich verstehen, d.h. nachempfinden könnte, der aber trotzdem nicht nachgibt, das Heim schmückt, Stühle repariert, und für die Einrichtung eines Fotozirkels kämpft. Die Sozialhelferin Hella, die für sich selbst eine Antwort auf die Probleme des Lebens gefunden hat, indem sie auf Konsum verzichtet und sich auf ihre Gefühle verläßt und meint dieser Weg sei deshalb der allein-seligmachende und nicht verstehen kann, warum sie damit bei den Jugendlichen nicht an-kommt. Der hilflose Berufsberater, der auch nichts dafür kann, daß es keine Lehrstellen gibt und deshalb zwischen Resignation und Zynismus schwankt. Der LKW-Fahrer Kalle Kowalewski, der doch alles für seine Familie tut, aber nicht mitgekriegt hat, daß seine Kinder größer gewor-den sind und die Zeiten sich verändert haben. Elsa Kowalewski, die halbtags arbeitet, sich ab-rackert, putzt, kocht, dafür sorgt, daß wenigstens der Anschein von Familienleben gewahrt bleibt, aber, von Kalle alleingelassen mit der Erziehung der Kinder, nur bei Klaus-Dieter den Wunsch nach einem gesicherten Lebensabend durchsetzen kann.

Bei all diesen Figuren gaben wir uns Mühe, ihre Schwächen und Stärken, ihre Siege und Nieder-lagen gleichermaßen zu zeigen. Selbst die Verkäuferin und der Vorgesetzte bei Lenz & Co. wur-den nicht als individuelle Scheusale vorgeführt, sondern als die notwendigen Rädchen, durch die ein System eben nur so funktionieren kann, wie es leider funktioniert. Eine Ausnahme bildet dabei nur der Rektor Gabler, der Repräsentant all dessen, worunter sowohl die Schüler wie die fortschrittlichen Lehrer zu leiden haben.

Wir haben während der Proben natürlich auch inhaltliche Auseinandersetzungen gehabt, so z.B. bei der Frage, wie die Lehrerin in der Szene reagieren soll, in der sie dem Rektor Rede und Ant-wort stehen muß, weil Schüler ihrer Klasse die Fenster im Rektorzimmer eingeschlagen und einen Spruch an die Wand gesprüht haben. Ein Teil des Ensembles bestand darauf, daß sie vor dem Rektor die perspektivlose Haltung des Fenster-Einschmeißens kritisieren sollte, während der andere Teil meinte, daß sie dem unbedingten Gegner gegenüber auch einen taktischen Feh-ler nicht zugeben sollte. Die zweite Haltung hat sich dann nach drei-Tage-langen Diskussionen durchgesetzt. Wir haben versucht, ein realistisches Stück realistisch, d.h. parteilich zu inszenie-ren und haben uns dabei, obwohl während der Proben nie darüber geredet wurde, gehalten an das, was Brecht über den Unterschied von Naturalismus und Realismus in seinem Arbeitsjour-nal geschrieben hat:

Naturalismus	*Realismus*
Die Gesellschaft betrachtet als ein Stück Natur	Die Gesellschaft geschichtlich betrachtet
Ausschnitte aus der Gesellschaft (Familie, Schule, militärische Einheit usw.) sind 'kleine Welten' für sich	Die 'kleinen Welten' sind Frontabschnitt der großen Kämpfe
Das Milieu	Das System
Reaktion der Individuen	Gesellschaftliche Kausalität
Atmosphäre	Soziale Spannungen
Mitgefühl	Kritik
Die Vorgänge sollen 'für sich selbst sprechen'	Es wird ihnen zur Verständlichkeit verholfen
Das Detail als 'Zug'	Gesetzt gegen das Gesamte gelehrt
Sozialer Fortschritt empfohlen	Stilisierungen
Kopien	
Der Zuschauer als Mitmensch	Der Mitmensch als Zuschauer
Das Publikum als Einheit ange-sprochen	Die Einheit wird gesprengt
Diskretion	Indiskretion der Vielen
Mensch und Welt, vom Standpunkt des Einzelnen	

Kostümliste

Doris Bieber, 15 — Gaby Go

Bild	Kostüme	Maske	Requisiten
II.	BH m. Füllung türkis T-Shirt, bestickt helle Kammgarnhose rote Schuhe m. Keilabsatz	stark geschminkt	Tasche Parfumzerstäuber Kamm Zigarette Lippenstift Spiegel
III.	wie II	wie II	
IV.	wie II	wie II	
VII.	rotes Halstuch grauer Arbeitskittel hellblaue Jeans aufgekrempelt, bestickt Schuhe wie II	wie II	
IX.	violettes T-Shirt m. Paillettenauto Jeans, hellblau, wie VII Schuhe wie II rotes Halstuch brauner Ledergürtel m. Silberschnalle		Umhängetasche
X.	gelbes T-Shirt mit Aufschrift DORIS Jeans wie VII Schuhe wie II		
XII.	wie X		
XIII.	wie X		
XV.	wie X		

DORIS BIEBER, 15 — GABY GO

SCHNULLI-HEINZ HÖNIG

Schnulli, 16 — Heinz Hönig

Bild	Kostüme	Maske	Requisiten
II.	dunkelblaue Jeans breiter Ledergürtel mit großem Schloß rotes T-Shirt ohne Ärmel dunkelgrüne Lederjacke, am Rücken Passe u. Kragen mit Nieten verziert Abzeichen alt, am linken Ärmel Stiefel mit Plateausohle und hohem Absatz aus Schlangenleder	ungeschminkt Haare wie Heinz	Tüte mit Pommes frites
III.	wie II		
IV.	wie Ii		Flachmann
IX.	wie II		Flachmann
X.	wie II		
XIII.	wie II		
XV.	wie II		

Bild	Kostüme	Maske	Requisiten
II.	blaue, ausgewaschene Jeans Ledergürtel m. Straßschnalle / rotes T-Shirt (KAWASAKI) Lederjacke aus Vistram, auf dem Rücken Ziernieten Abzeichen (neu) (KAWASAKI) Abzeichen auf Ärmel schwarze Stiefel m. dicker Plateausohle u. hohem, silberangesprühtem Absatz	langes Haar	Haarbürste in Jackentasche Zigarette
III.	wie II		
IV.	wie II		Flachmann
VII.	wie II, ohne Jacke, dafür grauer Arbeitskittel		
IX.	wie II		
X.	wie II, mit türkisfarbenem T-Shirt (Löwenkopf u. Aufschrift)		
XII.	wie X		
XIII.	wie X		
XV.	wie II		

CHARLIE — PETER SEUM

Nachinszenierungen

Das Jugendstück "Das hältste ja im Kopf nicht aus" ist bisher in Hamburg (Klecks-Theater), Tübingen (Landestheater), Hannover (Schauspielschule), Göttingen (Junges Theater), Basel (Basler Theater), München (Theater der Jugend), Braunschweig (Paukertheater), Ulm (Lehrlingstheater), Kiel (Landesbühnen), Frankfurt/M. (Theater am Turm), Dortmund (Städtische Bühnen), Svendborg – Dänemark (Baggaardsteater) und von zahlreichen Jugendgruppen nachgespielt worden.

In manchen Inszenierungen ist der Versuch gemacht worden, das typisch Berlinerische in der Sprache durch die regionale Umgangsprache zu ersetzen. Am schwersten hatten es dabei die Basler, die so weit gingen, eine eigene Dialektfassung (von Ueli Jäggi, Hansjörg Betschart, Christian Dirscherl) herzustellen. Folgerichtig mußten dort auch die Namen geändert werden: z.B. heißt die Familie Kowalewski dort Clavadetscher, Charlie Braun heißt dort Claude Messer, genannt "Meggi", die Lehrerin heißt Regula Hagmann. Besondere Sorgfalt mußte auf die Songs verwandt werden. Hier zwei Beispiele der Basler Fassung: der "Clavadetscher-Song" aus der 5. Szene und das Lehrerin-Lied "D'Seklehrere" (Sekundarlehrerin) aus der 12. Szene:

Der Clavadetscher – Song 1

Thomas:
Friener hett är mi als
mit uff sy Tour gno als
mit sim zwanzgtonne Prätschersiech
Das het gfäggt!
Mit wetze im Laschter
Hoch überem Pflaschter
Aer fahrt dä Riisemogge
Jagt mi total uss de Sogge ...
In allne Beize isch er bekannt
Dr grossi Maa – är hebt mer d'Hand!
Carli Clavadetscher
Mi fründ der Supermaa
Carli Clavadetscher
Dr gröscht Vater wo d'kasch ha!
Rita:
Chumm isch er zobe zrugg
Alls wot machsch, macht en verruggt
Aer gseht grad rot – git Vollgas!
Dä Super-Held das!
Aer bringts und du heschs Gschänk
Dass d'brav bisch schänkt är dr dänk
Teddybär, Schoggi, Tinky-Toys
Und denn schreit er wider los!
Aer fluecht und findet alles ä Shit
Was mir wänn interessiert en nit.

Carli Clavadetscher
Das isch si Supermaa
Carli Clavadetscher
Do isch nüt Super dra
Thomas:
Hüt isch dä Maa total schlaff
Irgendöppis het dä total gschafft
Aer luegt uss dr Wösch wiene Autowrack
Dr Carli isch umme
Sy Läbe het är sich versaut
Nach Afrika hett er sich nie traut
Aber mir hetter zeigt wos dure goht:
Ich schloh mir scho duure!
d'Zitige schribe gross über mi!
Rita, Hans-Peter:
Di?
Thomas:
Und jede seit hesch gseh, daschen gsi!
(Bewundernder Pfiff)
Thomas:
Thomas Clavadetscher
Dä Held wo alles flippt
Rita, Hans-Peter:
Flippsch jo uss!
Thomas: Thomas Clavadetscher,
Dr irrschti Typ wos git
Rita, Hans-Peter: Chunnt nit druss!

D' Seklehrere

Frl. Hagmann:

Zersch hesch als no Illusione
Findsch Vertraue wurd sich lohne
Heschs Gfühl – wenn mit de Schieler
offe redsch und nied grad drifahrsch
Dass'd weissgottwas ändre kasch.

Nei die lache di nur uss
und wennd seisch es blibt am Schluss
jedem e Hilfsarbeiterposchte:
"Frölein, gönn si dich in Oschte!"

77

Jetzt pass uff, wenn das ä Cincera ghört
Denn bisch morn im Archiv
Dängg nid zvil! Schigg di dri!
Sunsch bisch subversiv.

D'Klass hesch voll mit Chind vo Biezer
Die hänn d 'Schtütz halt nit fürs Gym
Und jede Tag hesch gnueg Bewiis
Dass nit nur in de Schuele
D'Biezerklasse bschisse sinn

Und de mergsch dr Staat wills ha
dä het gross Inträssi dra
Dass do alles so söll blibe.
Dr Biezer soll dr Dummi bliibe!

Sags nit z'luut! In dr Schwiz seit me das nit.
De wotsch doch suuber sy?!
Dängg nid zvil! Schigg di dri!
Sunsch bisch subversiv.

Mir in unsere Illusione,
Hann jo lang nid gmerggt was goht.
E jede Lehrer wo nit
Freirrsinnigliberal isch
Het Angscht dass är bitz z'links könnt schtoo.

Nur wär jetz uff d'Schnuure hoggt
Het si Rue und wird nid ploggt
Jo was wämmer denn no mehr ha?
Dr Räscht bsorge die Cinceras!

Vo däm ewige Schnuurehalte
Hesch mol di Schnuure voll
Jetz dänggsch und wirsch aktiv
Jetz bisch — subversiv.

Das Stück wurde von der Presse sehr gut bis enthusiastisch aufgenommen. Das war für das Crips-Theater lebensnotwendig, denn im Mai 1975 hatte die Berliner CDU eine Hetzkampagne begonnen mit dem Ziel, das Theater zu liquidieren. Bei den Etat-Beratungen im Herbst 1975, wo die CDU verlangt hatte, dem Grips jegliche Zuschüsse zu verweigern, konnten die entscheidenden Politiker an dem unzweifelhaften Erfolg des Stückes "Das hältste ja im Kopf nicht aus" nicht vorbeisehen. Die Zuschüsse wurden bewilligt.

Die „Botschaft" ist klar: Laßt euch nichts gefallen, nur gemeinsam könnt ihr was ausrichten, denkt man nach; wenn ihr wach werdet, werdet ihr's schwer haben, aber es macht auch mehr Spaß dann. Der aufklärerische Impuls, der auf Lernfähigkeit setzt, auf den politisch mündigen Menschen, wird nicht trocken, lehrhaft vorgetragen, sondern in genau erfundenen Situationen, denen alles an Komik entrissen wird, was drinsteckt. In der Vorstellung, die ich sah, waren etwa achtzig Prozent der Zuschauer Jungen und Mädchen zwischen fünfzehn und achtzehn Jahren: „GRIPS" hat offenbar sein „Zielpublikum" auch diesmal wieder erreicht.

Daß „GRIPS" sozialistischen Vorstellungen von Emanzipation, Teilhabe, Aufklärung, Selbstorganisation verpflichtet ist, wird auch im neuen Stück wieder evident. Keine Anzeichen von Selbstzensur, um ein gutes Wetter bittend, sind spürbar. Was hingegen von Produktion zu Produktion deutlicher wird, ist eine Differenzierung der Argumente, die Einsicht, daß nicht flammende Aufrufe, sondern nur genaueste Beobach-

tung der Wirklichkeit bei den jungen Zuschauern wirken kann. Daß dabei auch jede Form von „linkem" oder „gruppendynamischem" Gerede durch den Kakao gezogen wird, zeigt, wie intensiv man sich am Hansaplatz darüber Gedanken macht, wie man, was man sagen will, auch glaubhaft machen kann. Jugendarbeit von solcher Konsequenz und pädagogischen Qualität ist immer noch selten hierzulande. „GRIPS" hat alles Recht, darin unterstützt zu werden. Daß die städtische CDU sich dem verschließt, zeigt nur ihre eigene Provinzialität und macht deutlich, wie sehr ihr daran liegt, jeden frischen Wind von Kindern und Jugendlichen fernzuhalten, und sei es um den Preis der politischen Diffamierung. Es zeigt aber auch, wie wenig wirklich von der „neuen sozialen Frage" zu halten hat, deren Entdeckung der Mannheimer Parteitag feierte. In Wirklichkeit geht es um die Verschleierung der alten, um nichts sonst. Daß Kinder und Jugendliche darüber nachdenken — das soll verboten werden. Das hältste ja im Kopf nicht aus — meint „GRIPS". Wie mir scheint zu Recht.

Roland H. Wiegenstein
in: *Frankfurter Rundschau 23.9.1975*

"Wieder einmal ist der Westberliner CDU ein Theater zu gut geworden. Und abermals drängt sie auf die Wiederherstellung des provinziellen status quo der 'Theaterstadt Berlin'. Das Grips, um das es diesmal geht, war dem Steglitzer Jugendstadtrat Friedrich schon seit langem ein Dorn im Auge. Während es bei Publikum und Presse als einsames Beispiel für ein zeitgemäßes Kindertheater gilt, während westdeutsche Stadttheater nach besten Kräften die Grips-Stücke nachzuspielen versuchen, sieht dieser Stadtrat die Kleinen und Kleinsten von kommunistischer Indoktrinierung bedroht. Beherzt erteilt er dem Theater in seinem Bezirk Aufführungsverbot. Seine Parteifreunde folgten seinem Beispiel, und mit Erfolg: immerhin sind neun von zwölf Jugendstadträten in der SDP-regierten Stadt Mitglieder der CDU. Unterdessen hat sich die ganze Fraktion der Berliner Christdemokraten hinter ihren wackeren Vorkämpfer gestellt. Allerdings geht es jetzt nicht mehr allein um rote Gefahr, es geht um Geld. Mitte September richtete die Grips-Theaterleitung einen dringenden Hilferuf an den Subventionsgeber. Der bisherige Zuschuß von 350000 Mark reiche nicht mehr aus, allein für diese Spielzeit müßten noch 180000 zugesteuert werden, damit der Spielbetrieb aufrechterhalten werden könne. Die Gründe für dieses Defizit seien in den unerwartet hohen Umbaukosten des Theaters zu sehen sowie in der Tatsache, daß der WDR - bisher ein regelmäßiger Abnehmer der Grips-Produktionen - bis auf weiteres keine Aufzeichnungen mehr durchführen wolle. Für die nächste Spielzeit, so Theaterleiter Volker Ludwig, wird sogar eine Subvention von 700000 Mark notwendig werden. Um die Berechtigung dieser Forderung zu verstehen, muß man wissen, daß das Grips bei bemerkenswert niedrigen Eintrittspreisen (4,50 Mark für Lehrlinge, Schüler und Studenten, 7 Mark für

*die übrige Menschheit) pro Spielzeit immerhin die stattliche Summe
von einer halben Million selbst einspielt.
Während diese Zeilen geschrieben werden, ist die Entscheidung über
eine Subventionserhöhung noch nicht gefallen. Dennoch fällt es nicht
allzu schwer, Ludwigs Optimismus zu teilen angesichts der jüngsten
Produktion des Hauses, deren überragender Erfolg bei Publikum und
Presse mehr war als eine bloße Solidaritätskundgebung. Grips hat
sich mit dem Stück "Das hältste ja im Kopf nicht aus" von Volker
Ludwig und Detlev Michel einen jahrelang gehegten, bislang aus
personellen und technischen Gründen nicht realisierbaren Wunsch
erfüllt und zugleich eine weitere Lücke im Theaterangebot ge-
schlossen: das Kindertheater - bisher wurde in gestaffelten Programmen
für die 4-14jährigen gespielt - wird zum Jugendtheater erweitert.
Die Aufführung beweist, daß mit der angesprochenen Gruppe auch in
Zukunft im Theater zu rechnen ist, und sie erschließt zugleich dem
Ensemble neue, größere Möglichkeiten als bisher.
... Die offene Dramaturgie erlaubt es, alle Lebensbereiche der
Jugendlichen kurz aufzureißen. Am Beispiel der Familie Kowalewski
(Vater Fernfahrer, Mutter Hausfrau, beide abgearbeitet, drei Kinder)
wird deutlich gemacht, wie die Situation im Elternhaus den Weg der
Jugendlichen ins Berufsleben erschwert. In grotesk-pointierter
Weise werden die Besuche beim Berufsberater und der Alltag der
Praktikanten vorgeführt. Daneben Schule und Freizeit: schüchterne,
oft scheiternde Versuche von Kommunikation im Freizeitheim, Isolation
in der Schule, wo eine progressive Lehrerin Mühe hat, gesellschafts-
politische Aufklärung zu betreiben. Der Druck der Probleme macht die
Jugendlichen empfindlich gegen theoretisches Gerede, was auch die -
von den Autoren bewußt glossierte - Jugendbetreuerin mit ihrem Gefasel
von gruppendynamischen Prozessen und spontanen Aktionen zu spüren
bekommt.
... Die Autoren (und auch der Regisseur Wolfgang Kolneder, sonst
Dramaturg des Hauses) verstehen es, einen realistischen Stil in der
Nachbarschaft der neuen Arbeiterfilme von Kratisch/Lüdcke und
Ziewer/Wiese mit den Forderungen kabarettistischen Entertainments
zu verbinden. Eine glückliche Symbiose, wie sich herausstellt. Der
kaberettistische Duktus verhindert Naturalismus, die auf der Bühne
ja noch weniger Einsichten bringen als im Kino; durch genaue Wirk-
lichkeitsbeobachtungen (und sorgfältige Recherchen) wird andererseits
die Gefahr gebannt, die Problematik an wohlfeile Pointen zu verkaufen.*

Ekkehard Pluta
in: *Theater heute 11/75*

Grips heisst Verstand

Zum erstenmal gehörte auch ein Ju-
gendtheaterstück zu den ausgewählten
Besten der Spielzeit: «Das hältste ja im
Kopf nicht aus» ist eine Produktion des
Berliner *Grips-Theaters*, das erste Jugendstück, das die Truppe nach vielen
Kinderstücken geschrieben und produ-
ziert hat. Das ist schmissig und rasant
gemacht, mit knappen Dialogen und
einprägsamen Songs, und das ist seit
einiger Zeit für Berlins Teenager ein
absoluter Hit.
Dass «Grips» es fertigbringt, jeweils
einige hundert Hauptschüler oder
Gleichaltrige (14 bis 16jährige) während zweier Stunden bei Laune und in

Spannung zu halten, ohne sich dabei
billiger Tricks zu bedienen, ist eine
bewundernswerte Leistung. Dass dieses Stück Agitation ist, wurde von Anfang an bezetert (unsere Steuergelder!).
Aber es ist Agitation mit der Wahrheit
und mit offenem Ende, ohne jeden Ge-
sinnungszwang. Zu welchen Schlüssen
die unmittelbar vom Stoff betroffenen
Zuschauer kommen, bleibt ihnen über-
lassen. Wenn es um Jugendarbeitslosigkeit, um die psychologischen und mate-
riellen Auswirkungen der Arbeitsmarktlage auf Schüler der Abgangs-
klassen geht, dann ist das ein Thema,
das haargenau auf das Zielpublikum

zugeschnitten ist. Und auch hier wieder
die Nachbereitungshefte, in denen die
Materialien zum Stück ausgebreitet
sind. Das Grips-Theater nimmt seine
Arbeit ernst. Und es wird ernst genommen. Westberliner Lehrer, die mitarbeiten, treten mit ihren Namen besser
nicht in Erscheinung. Leidvolle Erfahrung drückt sich in dem Refrain aus,
den die Zuschauer nachhaltig beklat-
schen: «Ein kluges Wort, und schon –
ist man Kommunist.»

Reinhardt Stumm
in: *Tagesanzeiger*
Zürich, 3.6.76

Für die reifende Jugend

„Das hältste ja im Kopf nicht aus" im Grips-Theater

Wie schnell aus Utopien doch auch einmal neue Wirklichkeiten werden können! Es ist erst zwei Jahre her, daß Volker Ludwig, der Leiter des damals im Forum-Theater spielenden Grips-Theaters, vor der Presse von den Geldsorgen seines unbehausten Unternehmens sprach und seinen Wunsch, das Kindertheater eines Tages durch ein Jugendtheater zu ergänzen, damit viele Tausende von Kindern im 6. Schulklasse zum letztenmal in ihrem Leben ein Theater besucht haben, einen „spinnerten Traum" nannte. „Was in Omsk, Krasnagorsk, Archangelsk und Alma Ata eine kulturelle Selbstverständlichkeit ist — nämlich ein eigenes Theater, in dem parallel für drei verschiedene Altersgruppen gespielt werden kann —, bleibt für eine Stadt wie Berlin eine mitleidig belächelte Utopie."

Zugegeben, den Titel eines Generalintendanten des Grips-Theaters für Vorschul-, Grundschul- und Hauptschulbesucher kann Volker Ludwig immer noch nicht führen, die Sache selbst aber steht. Sie steht ein bißchen wacklig, denn die Gelder, die der Senat dem seit einem Jahr im eigenen Haus spielenden Theater zuschießt, und die Summen, die man am Hansaplatz sowie durch Gastspiele in Schulen und Freizeitheimen der Bezirke einspielt, reichen, wie jüngst bekannt wurde, nicht aus: das Grips-Theater hat Schulden. Aber es hat zugleich dank seiner fortschrittlichen, die Lebenswirklichkeit seines Publikums ins Bühnenspiel umsetzenden Kindertheaterarbeit einen so guten Ruf weit über Berlin hinaus, daß sich die Frage erübrigen sollte, ob das Unternehmen die Anstrengung einer Sanierung lohnt.

Die Grips-Leute ihrerseits scheuen gewiß keine Anstrengung, den selbst gestellten Anspruch zu erfüllen. Der scheinbar utopische Traum, dem Kinder- ein Jugendtheater hinzuzufügen, ein Theater, das die Vierzehn- bis Achtzehnjährigen anspricht, ist mit der jüngsten Premiere Realität geworden: „Das hältste ja im Kopf nicht aus" nennen Volker Ludwig und sein Ko-Autor Detlef Michel diese „Grips-Produktion für Hauptschüler, Realschüler, Berufsschüler, Gymnasiasten und deren Geschwister, Freunde, Eltern, Lehrer, Erzieher, Ausbilder ... und überhaupt für alle Theaterfreunde". Als Theaterfreund, der aus dem Schulalter längst heraus, in das höhere Elternalter jedoch noch nicht hineingewachsen ist, beschränke ich mich zunächst darauf, der Aufführung das für alles Theater Wichtigste zu bestätigen: sie kommt an, und zwar glänzend.

Was halten sie da im Kopf nicht aus — die Doris und die Sabine, der Thomas, der Jürgen, genannt Charlie, und der Peter, den sie Schnulli nennen? Hauptschüler im 9. Schuljahr, nicht gerade die Besten der Klasse, sehen sie mit der nahenden Schulentlassung den Ernst des Lebens auf sich zukommen.

Lehrstellen sind knapp, und niemand will die erste beste haben: wer sich einmal als Kfz.-Techniker seine Brötchen verdienen will, hat begreiflicherweise keine Lust, sie statt dessen selber backen zu lernen. Das Stück glossiert in satirischen Kurzszenen den Besuch der fünf Ratlosen beim Berufsberater und nimmt darauf das Betriebspraktikum, vielmehr dessen Praxis, aufs Korn: die Möglichkeit, noch während der Schulzeit Einblick in einen Betrieb zu gewinnen, läuft oftmals nur darauf hinaus, daß der Schüler als Handlanger dient. Jürgen, genannt Charlie, reagiert darauf mit einem Dummenjungenstreich, indem er die Air-Fresh-Spraydosen, die er in einem Kaufhaus mit Preisschildchen versehen muß, unter Hinweis darauf, daß man zwischen „Gebrauchswert" und „Täuschwert" zu unterscheiden habe, seinerseits auspreist. Das Attentat auf die Preispolitik bringt ihm nicht nur den Hinausschmiß aus der Firma, sondern auch Ärger in der Schule ein; ja, sogar seine Klassenlehrerin, ohnehin als Linke verrufen, kriegt wegen des Streichs Unannehmlichkeiten — sie hat das „kapitalistische System" schon so oft als „tiefere Ursache" irgendwelcher Mißstände angeprangert, daß selbst ihre Schüler sich schon über sie lustig machen.

Das Grips-Theater nimmt sich damit selbst ein bißchen auf die Schippe, zumal die Rolle nicht von irgendwem gespielt wird, sondern von Renate Küster, dem Unternehmen seit seinen Anfängen beim Reichskabarett als vielbeschäftigte Aktrice verbunden ist. Getragen von einer Riege junger Schauspieler, die den charakteristischen Teenager-Habitus — halb lässig, halb verkrampft — mit schöner Selbstverständlichkeit treffen, begleitet von einer fünfköpfigen Rock-Band, die das Ensemble bei seinen Songs unterstützt und die Umbaupausen ohrenbetäubend überbrückt, keilt die Aufführung (Regie: Wolfgang Kolneder) nach allen Richtungen satirisch-karikierend aus: Lehrer der alten autoritären Art kriegen dabei nicht mehr und nicht weniger ab als die von „gruppendynamischen Prozessen" schwärmenden Jugendheimhüter. Ganz ernst nehmen darf man dabei nichts, ganz wörtlich nehmen niemanden: „Das hältste ja im Kopf nicht aus", wenn auch beim Beratung von Hauptschullehrern entstanden, kann seine Herkunft aus kabarettistisch erfahrener Feder nicht verleugnen. Im übrigen wird es, wie die anderen Produktionen des Hauses, ausdrücklich zur Diskussion gestellt: ein Textbuch und ein Nachbereitungsheft befinden sich in Vorbereitung.

Was für ein Beifall! Die drei Tribünen um die Spielfläche donnerten unter den trommelnden Füßen der dichtgedrängten Zuschauer. Das Grips, auf dessen Spielplan außerdem „Mensch Mädchen!" für Vorschulkinder und „Trummi kaputt" für Menschen ab 7 stehen, hat sich als Drei-Sparten-Jugendtheater damit glücklich etabliert.

Günther Grack

20. SEPTEMBER 1975

Liebe Theatermacher, liebe Zuschauer,

*"Es ist tief deprimierend, auf welche Weise von interessierter Seite
die Bevölkerung dieser Stadt vom Wert des umstrittenen Grips-Theaters
für Kinder überzeugt werden soll. Ein neues empörendes Beispiel hier-
für ist die Verleihung des diesjährigen Brüder-Grimm-Preises des
Landes Berlin an das Grips-Theater für Kinder. Die Öffentlichkeit muß
über die Hintergründe einer solchen Preisverleihung aufgeklärt werden ...
Dies erklärte der Steglitzer CDU-Stadtrat für Jugend und Sport namens
Friedrich, als er vor wenigen Wochen von der Entscheidung der Jury
erfuhr.*
*Selbstverständlich muß die Öffentlichkeit aufgeklärt werden, warum
sich diese Jury, übrigens einstimmig, so und nicht anders entschieden
hat. Hier ist sie, die Auf- und die Erklärung:*
*Wir - der Regisseur Harald Clemen, der Lehrer und Schriftsteller Peter
Fabich und ich - wir hatten in diesem Jahr fast hundert Produktionen,
die sich mit Kinder- und Jugendtheater beschäftigen zu begutachten,
Manuskripte, Bücher, Aufführungen. Wie eh und je waren darunter zahl-
reiche Bearbeitungen von Märchen, und in den meisten saßen die Könige
unangefochten auf ihren Thrönchen, liebten Prinzen Prinzessinnen,
trieben Hexen und Stiefmütter ihr böses Spiel. Daß die Reproduktion
einer solchen kaputten heilen Welt nicht preiswürdig ist, liegt auf
der Hand.*
*Allerdings stellten wir mit Interesse fest, daß einige Autoren und
Theatergruppen anfangen, alte Märchenstoffe für emanzipatorisches
Theater zu nutzen - so sah ich selbst während der diesjährigen
EXPERIMENTA in Frankfurt, die allein dem Kinder- und Jugendtheater
vorbehalten war, zwei solche Versuche: "Toni Rattenfänger" vom
Mobilen Kindertheater Wien, wo der Rattenfänger von Hameln mal kein
Bösewicht ist, sondern einer, der den Kindern Lachen und Singen
beibringt gegen das Verbot der Obrigkeit, und "Ich bin der kleine
Däumling" vom Kindertheater Ömmes und Oimel, wo Kinder auf einem
Spielplatz Däumling spielen und diese Märchenfigur nutzen, um Normen
unseres Alltags zu hinterfragen. Diese Versuche mit Märchenstoffen
stecken allerdings noch in den Anfängen.*
*Einige Worte zu den Kriterien, an denen sich unsere Beurteilung der
Stücke orientierte:*
*Wir fragten einmal nach ihrem Realismus im Verhältnis zum Alter der
jeweiligen Zielgruppe, dann nach der theatralischen Umsetzung all-
täglicher Problematik, nach der Faszination und Unterhaltsamkeit,
die der Stoff und seine künstlerische Umsetzung ausüben, ohne einzu-
lullen, und vor allem auch danach, welche Anregungen zum Mitdenken
und Nachdenken gegeben werden. Wesentliche Maßstäbe, nach denen wir
uns richteten, kann ich unverändert aus den "Rahmenplänen für Unterricht und Erziehung in der Berliner Schule" des Senators für Schul-
wesen zitieren:*
*"Unterricht und Erziehung" - dafür setzen wir Kinder- und Jugend-
theater - "sollen zum Widerstand gegen unangemessene Machtansprüche,
gegen Manipulation des Menschen durch zweifelhafte Formen der Massen-
beeinflussung und gegen seine Degradierung durch übermächtige gesell-
schaftliche Instutionen ermutigen." Und weiter: "Die Jugend soll dabei
die Wirklichkeit auch in ihren Gegensätzen und Widersprüchen kennenlernen, weil in ihnen Aufforderungen zum Handeln ausgehen und weil
Konflikte nur verarbeitet und ausgehalten werden können, wenn sie
bewußt geworden und nicht aus einem falschen Harmoniestreben ver-
schwiegen oder beschönigt worden sind."*

Diesen Maßstäben wurden trotz des allgemein gestiegenen Niveaus des
Kinder- und Jugendtheaters nur relativ wenige Stücke gerecht, und
zwar überwiegend die des Grips-Theaters. So kamen in die engere Wahl
"Ein Fest bei Papadakis", "Mensch Mädchen" und "Nashörner schießen
nicht".
Das beeindruckendste Kinderstück war für uns jedoch das Sexualauf-
klärungsspiel "Darüber spricht man nicht" der Roten Grütze. Mut,
Konsequenz und pädagogische Unterhaltsamkeit dieses "Spiels vom
Kindermachen & Kinderkriegen, vom Liebhaben & Schämen & was noch
alles vorkommt" fanden wir durchaus preiswürdig, und wir sind der
Meinung, daß die Rote Grütze in ihren weiteren Bemühungen gefördert
werden sollte.
In den Diskussionen war sich die Jury, wie ich vorhin bereits an-
deutete, einig, daß das Niveau des Kindertheaters in den vergangenen Jahren teilweise erheblich verbessert hat, nicht zuletzt
dank der Anstöße durch Grips. Aber wir fragten uns: Wie steht es mit
dem Theater für Jugendliche? Wo bleiben da die Anstöße? Um Jugend
pflegen sich die meisten Theaterleute bisher höchstens mit der linken
Hand zu bemühen - vor allem um die Jugend, die nicht aus dem Bildungsbürgertum stammt und wieder ins Bildungsbürgertum hineinwächst mit
Shakespeare, Goethe, Schiller, Kleist oder Hölderlin. Gewiß, es gab
und gibt Versuche mit Lehrlingstheater, die jedoch oft besser gemeint
als gemacht sind, und für einen meines Erachtens gelungenen Versuch,
Werner Geifrigs "Stifte mit Köpfen", hatte sich unsere Vorgängerjury
1973 leider nicht entscheiden können. Bei Geifrigs zweitem Stück nun,
"Bravo, Girl!" am Münchner Theater der Jugend, das sich mit der Dis-
krepanz zwischen Wirklichkeit und Traumwelt junger Fabrikarbeiterinnen
beschäftigt, fanden wir, ist es nicht ganz geglückt, eine spezifische
ästhetische Form fürs Jugendtheater zu finden, und trotz guter Ansätze
werden da die behandelten Probleme von der mitgelieferten Unterhaltungs-
show erschlagen.
Ganz anders bei dem Theater, das wir hier gleich sehen werden,
"Das hältste ja im Kopf nicht aus" für Menschen ab 13, erarbeitet
von Volker Ludwig und Detlev Michel gemeinsam mit dem Grips-Ensemble
und beraten von "Lehrern, Erziehern, Kollegen, Freunden", wie es im
Programmheft heißt. Herausgekommen ist bei dieser intensiven Arbeit
das mit Abstand beste Jugendstück, das es derzeit auf deutschen
Bühnen gibt. Grips beweist damit, daß man durchaus auch mit Themen
aus der Wirklichkeit von Hauptschülern anspruchsvolles realistisches
Theater machen kann. Ensemble- und Regieleistung haben hier insgesamt
einen Standard erreicht, wie ich ihn bei Bühnen, die Theater als
Kunstereignis für Erwachsene inszenieren, leider allzu oft ver-
misse.
Die Jury ist der Meinung, daß das Grips-Theater mit diesem Stück
schon deshalb den Brüder-Grimm-Preis verdient hat, weil es damit
Schrittmacherdienste leistet hin zu einem Jugendtheater, das Kunst
und Unterhaltsamkeit vereint und gleichzeitig gesellschaftspolitische
Denkanstöße vermittelt.
Bedauert haben wir, daß wir nicht zwei Preise zu vergeben hatten -
einen für Kinder- und einen für Jugendtheater. Der für Kindertheater
hätte dann zweifellos der Roten Grütze für "Darüber spricht man nicht"
gebührt. Die Jury bittet deshalb den Senat dieser Stadt, für die
Zukunft zwei separate Preise für Kinder- und für Jugendtheater zu
schaffen. Wir finden, das wäre ein verhältnismäßig billiger Fort-
schritt.
An dieser Stelle könnte meine Laudatio eigentlich zuende sein, wenn
nicht der eingangs zitierte Herr Friedrich, Stadtrat von und zu
Steglitz, wäre. Die Ereignisse nach der Veröffentlichung unserer
Juryentscheidung zwingen mich, auf diesen Herrn hier noch einmal
einzugehen.
Stadtrat Friedrich wurde bekannt, als er vor Monaten Aufführungen des
Grips-Theaters in seinem Bezirk verhinderte, indem er, ganz selbst-
herrlicher Provinzpotentat, sich über Wünsche von Schülern, Eltern

und Lehrern hinwegsetzte und entgegen den Intentionen des vorhin
zitierten Rahmenplans verbot, dem Grips Räume zur Verfügung zu stellen.
Zwar machte sich Herr Friedrich mit seiner Aktion in bundesweiter
Öffentlichkeit lächerlich, aber nichtsdestotrotz nahmen ihn inzwischen
einige staatlich besoldete Gesinnungsgenossen zum Vorbild - Grips-
Aufführungen sind bereits in mehreren Bezirken dieser Weltstadt Berlin
verboten.
Und der Kreuzzug des Stadtrates Friedrich geht weiter. In einer von
Extremistenerlassen und Berufsverboten vergifteten Atmosphäre, in
einer Atmosphäre der Gesinnungsschnüffelei, sieht er die Gelegenheit,
nach einem Radikalenerlaß in den Bereichen der Kunst zu rufen. Dabei
treibt seine Phantasie die seltsamsten Blüten und macht in ihrem Haß
auf alles, was weiter links ist, als es die CDU und Springer erlauben,
auch nicht Halt vor Verleumdungen und Lügen.
Ein bezeichnendes Beispiel: Ein Herr vom Springer-Inland-Dienst tat
meinem erstaunten Mitjuror Peter Fabich in aller Freundlichkeit
telefonisch kund, daß er doch wohl mit zwei mutmaßlichen Kommunisten
in einer Jury gesessen habe. Da sei einmal dieser Schriftsteller
Viebahn, der für eine kommunistische Zeitung schreibe (dazu kann ich
nur Heinrich Böll zitieren: "Verhetzung, Lüge, Dreck!"), und dann sei
da noch der Regisseur Clemen, der doch gerade am Schillertheater ein
Stück mit dem Titel "Wann kommst du wieder, Roter Reiter?" inszeniere-
dieser Titel ließe auf etwas kommunistisches schließen. (Da könnte man
den Springer-Mann zurückfragen: Kennen Sie den berüchtigten kommunis-
tischen Film "Ein Mann sieht rot"?)
Befragt, woher er denn diese interessanten Informationen habe, gab
er zur Antwort - na, dreimal darf man raten: von Herrn Friedrich.
Vergangene Woche endlich hielten Kinderschützer Friedrich und seine
Partei, die CDU, ihre große Stunde für gekommen, als es während der
zweiten Lesung des Haushalts 76 im Abgeordnetenhaus auch um die
Subventionen für Grips ging. Mit Herrn Friedrichs zusammengeklaubten
Fehlinformationen und Verhetzungen versuchte die CDU noch einmal,
Grips zu torpedieren - aber sie scheiterten kläglich an Senator
Löffler und den Fraktionen der SPD und FDP, die die Diffamierungen
zurückwiesen und die Subventionierung des Grips-Theaters konsequent
verteidigten. Ich meine, dafür haben der so oft auch von links
geschmähte Senat und die ihn tragenden Parteien hier und heute
einen Dank verdient.

Die Nachricht von der Verleihung des DGB-Kulturpreises an Grips
hat bei uns verständliche Freude, Befriedigung - und einige Fragen
ausgelöst. Wir haben diese Fragen für uns beantwortet. Das Ergebnis
hat uns in einen Zustand größter Erwartung und heiterster Zuversicht
versetzt, an der wir Sie heute alle teilhaben lassen wollen.
Unser erster Gedanke war: in dem Verleiher des Preises haben wir
jetzt einen mächtigen Bundesgenossen, der den skrupellosen, schein-
heiligen Widersachern, die uns nach dem Leben trachten, in Zukunft
kräftig auf die Finger hauen wird. Mit der Preisvergabe an Grips
segnet er schließlich kein Lebenswerk ab, sondern bekennt sich zu
Leuten, die als "die Repräsentanten dieser ganzen bolschewistischen
Kulturrevolution" (so ein Berliner CDU-Bezirksverordneter) natürlich
mit "Goebbelsmethoden" arbeiten (so Joachim Kaiser in der Süd-
deutschen zu "Das hältste ja im Kopf nicht aus"); er ermuntert
Leute zum Weitermachen, die in den feineren Bezirken Berlins Auf-
trittsverbot haben, Leute, die nach den jüngsten Gerichtsurteilen
allesamt ungestraft als "kommunistische Propagandisten", "SEW-
Anhänger" und "Baader-Meinhof-Sympathisanten" zugleich definiert
werden dürfen. Und wir wissen sehr wohl, daß heute schon wieder
einiger Mut dazugehört, sich ostentativ vor Demokraten zu stellen,
wenn sie so diffamiert werden. In einem Klima der wachsenden Angst
und Selbstzensur hat der DGB diesen Mut bewiesen. Dafür sind wir
dankbar. Dankbar im Namen der Vielen, denen es schwer gemacht wird,
zu uns zu kommen, oder denen verboten wird, unsere Stücke aufzu-
führen. Die Haltung des DGB wird sie stärken.
Für uns war auch sofort klar, was den DGB entscheidend zu seiner
Kühnheit bewogen hat: unser Zielpublikum. Dadurch, daß wir seit
zehn Jahren gezielt für Schulklassen arbeiten und uns auf die
Probleme der sozial Unterprivilegierten konzentrieren, werden wir
heute vor allem von diesen Bevölkerungsschichten besucht. Deshalb
machen wir dieses Theater. Und wenn der DGB ausdrücklich unsere
"kulturpolitische Leistung" belohnt, meint er eben diesen Tatbe-
stand angesichts der allgemeinen kulturpolitischen Katastrophenlage,
die so aussieht, daß 99% aller öffentlichen Theatermittel, weit
über eine halbe Milliarde Mark, für ein Theater ausgegeben werden,
das lediglich bei 6-8% der Bevölkerung müdes Interesse hervorlocken
kann. So verstehen wir die Entscheidung des DGB für das Grips auch
als weiteren Beweis einer selbstbewußten kulturpolitischen Neube-
sinnung des DGB. Wir sehen ihn die Ärmel hochkrempeln zu historischer
Umverteilung mit dem Ziel, den restlichen 9o% der Bevölkerung, die
den Repräsentationsschuppen zu Recht fernbleiben, fünf, ja zehn
Prozent der öffentlichen Theatermittel zu erkämpfen. Ein harter
Kampf, fürwahr. Doch wieso sollte der DGB ihn nicht bestehen?
Zum emanzipatorischen Kinder- und Jugendtheater - Grips ist ja
nicht sein einziger Vertreter - zählen auch unsere Berliner Freunde
von der "Roten Grütze" und "Birne", die trotz jahrelanger Pionier-
arbeit, die sie über die nationalen Grenzen hinaus bekannt gemacht
haben, bis heute keinen Pfennig von der halben Milliarde Staats-
Subsidien abbekommen haben. Wer aber sonst sollte wohl den offenbar
nie ernstgemeinten Kulturauftrag der Länder und Regierungsparteien
erfüllen, Theater für Mehrheiten statt für Minderheiten zu machen,
als solche Gruppen?
Mit dem in den Gründerjahren entstandenen süßlichen Märchentheater
der Hof-Staats- und Landesbühnen, das ja mit dem historischen Volks-
märchen kaum etwas zu tun hat, haben Grips und Kollegen nichts
gemein, umso mehr jedoch mit einer Theatertradition, die schon immer
neben der offiziellen daherlief: einem volksnahen Theater, das immer

zugleich auch ein komödiantisches, verfolgtes, aufmüpfiges politisches Theater war. Grips, bei dem die Studentenbewegung Pate stand, ist direkt aus einem politischen Kabarett hervorgegangen. Seine geistigen und methodischen Wurzeln reichen über die Kabarett-Paten Brecht, Tucholsky, Kästner, Weinert, Mehring über das Straßentheater, das politische Nachkriegstheater zurück in die Zwanziger Jahre der Agitprop-Gruppen, des Sozialistischen Berufstheaters, der Piscatorschen Arbeiterfestspiele, ins vergangene Jahrhundert, als eine aus der Arbeiterschaft hervorgegangene Volksbühnenbewegung, ein Arbeiterpublikum, dem frühen Naturalismus gegen die etablierten Theater zum Sieg verhalf, bis zurück in die Zeit vor hundert Jahren, als sich das Arbeitertheater in einer heute unvorstellbaren Blüte befand. Es ist immer das Theater, das, wie der DGB in seiner Begründung beschreibt, nicht nur großes Vergnügen bereitet, sondern auch Kenntnisse vermittelt. (Das genaue Wort "Erkenntnisse" wurde gewiß vermieden, weil es heute immer gleich mit dem Verfassungsschutz in Verbindung gebracht wird.) Es ist das Theater, das wenig kostet, mit dem man nicht protzen kann, das aber vieles bewirkt; die hysterischen Hetzkampagnen der konservativen Kräfte des Landes gegen diese kleinen Theater sind dafür klassische Belege.

Ein solches Theater führt aber nicht einfach etwas vor, sondern bietet sich auch seinem Publikum als Forum an, seine Leiden und sein Glück, seine Wut, seine Forderungen und Sehnsüchte auf eine Weise sinnlich zu artikulieren, wie es von allen Künsten eben nur das Theater vermag. Es ist getragen vom Gedanken der Solidarität, der Lust an Erkenntnis und dem Bewußtsein, daß die Welt veränderbar ist. Es weckt kritisches Bewußtsein, es befreit, macht fröhlich, es stärkt. Es ist ein Theater, das gebraucht wird, ein Theater für alle Generationen.

Solches Theater existiert anderswo, vom finnischen Arbeitertheater bis zu Dario Fo, dem Theatre du soleil, der San Francisco Mime Troup. In Deutschland aber ist die reiche Volkstheatertradition der Arbeiterbewegung durch das 1000jährige Reich gründlich denunziert, verschüttet, verlorengegangen. Und unsere bürgerlichen Bühnen besorgen bis auf seltene Einzelbemühungen genau das Gegenteil. Als Grips begann, seine Stücke in Milieus von Unterpriviligierten anzusiedeln, seilten sich die Landesbühnen, die vorher unsere Kinderstücke gern als keckes Alibi mitaufführten, angeekelt ab mit der Begründung, derartige Stücke seien für ihr Publikum exotisch. Man bringt lieber lebensnahe Zauberer, Elfen und Prinzenhochzeiten als realitätsfremde Nachbarskinder, die zwischen Mülltonnen spielen.

Diese Theater reagierten durchaus logisch. Abgeschreckt vom bürgerlichen Plüsch- und Pomptheater, das seinen Interessen nun weißgott nicht dient und abgeschnitten von jeder Volkstheater-Erfahrung, findet bislang das theaterfremde Publikum auch zu seinem Theater nur dann Zugang, wenn man ihm den Weg dahin zeigt. In unserem Fall taten das die Grundschulen, die Freizeitheime, und gelegentlich auch schon Jugendorganisationen des DGB. Wer einmal da war, kommt auch von allein wieder. Über 1000 Hauptschulklassen haben allein in Berlin "Das hältste ja im Kopf nicht aus" gesehen. Kaum einer dieser Hauptschüler war je zuvor im Theater gewesen. In den Pausen hören wir immer wieder den Satz: "Det is ja besser als Kino" und bald darauf: "Wann jeht'n der Film weiter?" - Als dieses Stück im vergangenen Jahr von zehn Oberkritikern als hervorragende deutschsprachige Schauspielinszenierung zum Berliner Theatertreffen eingeladen wurde, ohne Gegenstimme übrigens, war es kaum das Kunscht-Erlebnis der Kritiker, das hier den Ausschlag gab, sondern das für sie so ungewohnt-prickelnde Erlebnis Volkstheater, die verschworene Einheit Bühne-Publikum. Ein solches Theater ist immer wieder in den Anfängen, tut sich schwer, macht Fehler. Kein Wunder: es ging von den Studenten, nicht von der Arbeiterbewegung aus. Das angesprochene Publikum hat jedoch angebissen. Es ist sein Theater geworden, und die Theaterleute haben umdenken gelernt. Den ersten Zugang ermöglichten die Schulen. Für Lehrlinge, Jungarbeiter, für die Erwachsenen aber braucht solches Theater eine Institution wie den

DGB. Wir meinen, daß er sich der Sache annehmen wird, angesichts
seiner jüngsten Aktivitäten und Bekundungen, angesichts dieser
Veranstaltung, angesichts des unvorstellbaren Reichtums an Möglichkeiten, die dieses Metier bietet. Schon spielen hunderte von Schüler-
und Lehrlingsgruppen Stücke des emanzipatorischen Theaters nach oder
lassen sich dadurch zu eigenen inspirieren. Und an der Arbeit von
Einrichtungen wie den Heimen für Bildungsarbeit in Berlin Wannsee
und Dietzenbach ist zu sehen, was Theaterspiel an Lebensmut, Bewußtsein, Kreativität gerade der Unterdrücktesten dieser Gesellschaft
freisetzen kann.
Wir sind nicht so vermessen zu glauben, man könne den Stand von vor
hundert Jahren wieder erreichen. Wir sehen aber mit Hilfe der Gewerkschaften eine atemberaubend lebendige Theaterlandschaft
in unserem Land sich auftun, die von Millionen Arbeitnehmern,
die das Theater heute meiden, samt Familien mit brennendem Interesse
an dem aufgesucht wird, was auf der Bühne abgehandelt wird, nämlich
ihre Sache.
In dieser Weise haben wir vom Grips Fragen für uns beantwortet, die
uns anläßlich dieser Preisverleihung durch den Kopf gingen. Wir, das
sind rund dreißig Kollegen aus vier verschiedenen Einzelgewerkschaften
die immer ungeduldiger auf ihre Mediengewerkschaft warten, und unter-
des ein Höchstmaß an demokratischer Mitbestimmung wenigstens an ihrem
Haus praktizieren. Manche sagen, wir überfordern den DGB maßlos, über
den Preis hinaus werde er sich nicht engagieren. Manche dagegen
meinten, dies sei der Beginn einer großen Wende der Tendenzwende.
Ich möchte hier schließen mit einem Zitat aus dem nun folgenden
Stück: Die vom Berufsverbot bedrohte Lehrerin Helga Schmidt wendet
sich, zur Verwunderung des Vaters einer ihrer Schüler, an die Gewerkschaft. Auf seine Vermutung: "Und die Gewerkschaft hilft Ihnen
dann" antwortet sie, mit Skepsis, und dennoch heiterer Zuversicht:
"Mal sehen..."

In einer Schule hat eine Lehrerin im Unterricht darüber gesprochen,
daß man heutzutage nicht mehr sicher sein kann, den Beruf, den man
einmal gelernt hat, sein ganzes Leben lang ausführen zu können. Sie
stellte den Schülern die Aufgabe, sich vorzustellen, sie seien 4o
und müßten einen Lebenslauf schreiben.
Hier einige Beispiele, die für unsere Arbeit wichtig waren.

An das Institut für Umschulung
Lebenslauf
Geboren am 17.2.1959 als Sohn eines Schlossers. Ich ging auf die
...-Oberschule bis zur 1o. Klasse. Dann kam ich mit 18 Jahren in
eine Lehre als Radio-, Fernsehmechaniker. Ich kaufte mir ein Auto
und eine Wohnung. 1978 merkte ich, daß dieser Beruf mir nicht mehr
gefällt, weil die Arbeitsbedingungen immer schlechter wurden und
ich machte ein Fernseh- und Radiogeschäft auf. Ich dachte, jetzt würde
ich reich und dachte, jetzt würde ich gut angesehen. Ich heiratete
eine Friseusin und wir bekamen zwei Kinder. Doch dann ging unser Laden
langsam aber sicher pleite. Und nun weiß ich nicht, schule ich mich
um, oder mache ich weiter, wo ich mit 29 aufgehört habe. Darum bitte
ich Sie, mir eine Auskunft zu geben.

Ich wurde am 24. Mai als Sohn des Maschinenschlossers N.N. geboren.
Zu der Zeit meiner Geburt wohnten meine Eltern in der ...-Straße Nr. 46.
Als ich mein 3. Lebensjahr vollendet hatte, zogen meine Eltern und ich
in ein ...-Haus in der ...-Siedlung in Tegel Süd. Mit 6 Jahren wurde
ich in der ...-Grundschule eingeschult. Nach 6 Jahren Grundschule ging
ich in die ...-Oberschule. Da die ...-Schule eine Hauptschule ist,
bestanden einige Schwierigkeiten für meine Weiterbildung. Ich absol-
vierte die 1o. Klasse und hatte dadurch die Mittlere Reife. Dann ging
ich zur Polizeischule, wo ich 18 Monate in einer Kaserne gelebt habe.
Da ich einigermaßen gute Leistungen brachte, konnte ich mein Abitur
machen. Mit 2o wurde ich Wachtmeister. Nach einigen Bemühungen wurde ich
mit 22 Jahren Hauptwachtmeister. Mit 25 Jahren heiratete ich und 2 Jahre
später kam das erste Kind. Meine Familie wurde nach 1 1/2 Jahren durch
das 2. Kind ergänzt. Zur Zeit bin ich 37 Jahre und arbeite als Polizei-
chef in Spandau. Ich verdiene 2800 DM (ich komme mit dem Geld aus und
möchte nicht gern allzuviel Geld haben). Ich werde mit 55 Jahren pensi-
oniert.

Ich bin ein Mädchen, 15 Jahre alt. Ich bin aus der 9. Klasse der
...-Oberschule mit einem guten Zeugnis entlassen worden. Ich habe
mich für Dekorateurin interessiert. Der Beruf hat eine Zukunft, denn
man kann sich zu einer Chefin hocharbeiten. Man verdient dann immer
mehr in den Jahren. Man muß drei Jahre lernen bis man ausgelernt hat.
Mit 21 Jahren habe ich einen hübschen Jungen namens Jörg geheiratet.
Wenn mein Mann gutes Geld verdient, ziehen wir in eine gute Wohnung.
Wenn wir beide dann Urlaub haben, dann verreisen wir in schöne Länder.
Wir gehen dann auch in eine Tanzschule.

Ich heiße N.N. und der Wohnort ist ... Geboren bin ich am 18.1.1959.
Mit 6 Jahren wurde ich in die ...-Grundschule eingeschult. Bis zur
4. Klasse hatten wir bei Frau ... 5.-6. Klasse hatten wir bei Herrn ...
1969 trat ich in den Fußballverein SC Westend 01 ein. Dann kam ich in
die ...-Oberschule. Unser dortiger Klassenlehrer hieß Herr ... Aus der
1o. Klasse wurde ich mit Abschlußzeugnis entlassen. Ich wollte schon
immer Landschaftsgärtner werden. Ich finde, der Beruf hat eine Zukunft,
denn die Pflanzen sind gut für den Sauerstoff und bei der jetzigen Luft
braucht man Pflanzen. So ging ich drei Jahre in die Lehre. Ich habe
geheiratet und habe zwei Kinder, Michael und Bernd. Jetzt bin ich
Obergärtner. Meine Hobbys: Fußball und Briefmarken. Ich verdiene im
Monat ca. 1150 DM.

Ich wurde 1957 in Berlin geboren. Mit 6 Jahren wurde ich in die Grundschule eingeschult. Diese verließ ich mit 13 Jahren und ging auf die ...-Oberschule über. Mit 16 1/2 Jahre habe ich diese Schule verlassen. Da ich den Wunsch hatte, Stenokontoristin zu werden, mußte ich noch 3 Jahre auf eine Handelsschule gehen. Als ich mit 19 Jahren meine Schullaufbahn beendet habe, ging ich ins Büro über. Mit diesem Beruf hatte ich sehr viel Glück gehabt, denn es entsprach allen meinen Erwartungen. Mit 22 Jahren habe ich geheiratet. Doch diese Ehe ging nicht gut und ich zog aus. 8 Jahre später adoptierte ich einen Jungen, um nicht ganz allein zu sein. Da ich finanziell gut stand, konnte ich es mir leisten, diesem Jungen ein gutes Heim zu bieten. Mit 35 Jahre zog ich zu meinem Mann, mit dem Jungen, zurück. Als ich 4o war, starb mein Mann und ich übte meinen Beruf weiter aus.

Mein Name ist ... ... Geboren am 6.6.1957 in ... Von 1964-7o besuchte ich die Grundschule. Danach wechselte ich auf die Oberschule (praktischer Zweig) über und beendete diese Schule mit der Mittleren Reife 1975. Nach dieser Schule meldete ich mich dann auf dem Gymnasium an, um 1977 das Abitur zu absolvieren. Dann begann ich mein Studium als Filosofiestudent. Nach diesem jahre.angen Studium war mir ein 6 Wochen langer Urlaub möglich und ich begann wieder, nachdem ich von 1977-85 (Zeit meines Studiums) in der Isolation gelebt habe, neue Gesellschaftskreise aufzusuchen und lernte ein Mädchen kennen, das ganz meinen Anforderungen entsprach. Ich heiratete sie aber nicht, weil ich der Meinung bin, daß man mit einem Mädchen besser zusammen leben kann, wenn man es nicht heiratet, denn man ist freier und kann mehrere intime Beziehungen anknüpfen. Nun möchte ich wieder zum beruflichen Thema zurückschreiten. Nach der 6-wöchigen Pause schrieb ich meine Doktor- und Professor-Arbeit und wanderte nach Australien aus. Dort bildete ich eine Filosofiegruppe.

Ich bin in Berlin geboren als Sohn eines Maurers. Ich habe einige Krankheiten gehabt und auskuriert. Ich habe sechs Klassen der ...-Grundschule absolviert. Bin dann übergewandert auf die ...-Oberschule (Hauptschule), bin zur 1o. Klasse gegangen. Mit 17 Jahren bin ich dann zur Post gegangen. Die Lehrzeit dauerte 3 Jahre. Geheiratet habe ich in den darauffolgenden Jahren nicht, aber ein paar Reisen habe ich mir auch gegönnt (Mexiko, Österreich usw.). Mit 27 wurde ich zum Postrat befördert. Mit 3o Jahren bin ich dann nach Mexiko (Leon) übergewandert und bin dort als Fußballspieler (Lizenz) bei einem mexikanischen Club. Mit 32 Jahren heiratete ich eine Mexikanerin. Wir haben nur 2 Kinder, 2 Jungen. Mit 37 trete ich meine Berufsfußballzeit an den Nagel. Ab dort an fertige ich Handarbeiten für Kaufleute an.

Ich bin am 25.4.1958 in Berlin Moabit geboren. Dort wohnte ich mit meinen Eltern bis zu meinem 6. Lebensjahr. Da sich meine Schwester anmeldete und unsere Wohnung sehr klein war, zogen wir nach Berlin Siemensstadt um. Dort besuchte ich auch die 6 Klassen der Grundschule. Danach folgten die vier Jahre an der ...-Oberschule. Als ich dort mit dem Abschlußzeugnis entlassen wurde, suchte ich mir eine Arbeitsstelle. Ich wurde als Automechaniker tätig. Dort mußte ich größtenteils Brötchen und Bier holen, bis ich meinen Meister auf die Rechte des Lehrlings hingewiesen hatte. Von diesem Tag an wurde ich sehr gut in diesen Beruf eingewiesen. Ich absolvierte meine drei Lehrjahre mit großer Freude am Beruf. Bald darauf machte ich auch die Gesellenprüfung. Ich war jetzt ein ausgebildeter Automechaniker. Nun heiratete ich und gründete eine Familie. Mein Gehalt war gut und ich konnte meine Familie gut versorgen. Nur ich wollte aber auch im Beruf weiterkommen und machte meine Meisterprüfung mit großem Erfolg. Ich arbeitete eine Weile in einem großen Betrieb. Bis mir mein Vater und mein Opa den Vorschlag machten, mich selbständig zu machen. Ich ging sofort auf diesen Vorschlag ein. Mein Vater und mein Opa steuerten einen großen Betrag zu diesem Betrieb bei. Nun habe ich eine eigne Werkstatt (sie geht nicht schlecht), und mein Lebensziel ist erreicht.

In einer Neuköllner Hauptschule wurde im Februar 1975 über die
Konzeption des Stückes gesprochen, soweit sie bis dahin feststand.
Daraufhin haben die Schüler das Stück selbständig weiterentwickelt.
Hier einige Beispiele.

Die Schwierigkeiten eines Hauptschülers

*Es sind nur noch zwei Wochen bis zu den Zeugnissen. Wieder treffen sich
einige Schüler im Eiscafe bei Hella. Einige Schüler haben großen Bammel
vor den Zeugnissen, keiner weiß, was er anfangen soll, wenn sie aus der
Schule kommen und ihr Ziel nicht erreicht haben. Auch Hella weiß keinen
Rat. Die Schüler sind verzweifelt. Es bleibt ihnen wahrscheinlich nichts
anderes übrig, als irgendeine Arbeitsstelle anzunehmen. Thomas hat auch
keine Gelegenheit, zuhause zu üben, da seine Geschwister ihn oft daran
hindern. Da er auch oft Ärger mit seinem Vater hat, verläßt er meistens
die Wohnung, wenn er aus der Schule kommt. Thomas hat auch schon mit
seiner Lehrerin gesprochen. Sie ist der Meinung, daß Thomas erst einmal
eine Lehrstelle annehmen soll, und später die Abendschule besuchen und
sich dann für seinen Beruf weiterbilden soll. Diesen Rat befolgt Thomas
auch. Zwei Wochen später. Heute gibt es Zeugnisse. Thomas hat ein schlech
tes Abgangszeugnis. Als er nach Hause kommt, gibt es großen Ärger vom
Vater. Seine Mutter nimmt ihn aber in Schutz. Thomas nimmt eine Arbeitsstelle als Autoschlosser an. Sein Ausbilder ist immer schlechter Laune
und läßt sie an den Lehrlingen aus. Nach fünf Wochen schmeißt Thomas die
Arbeit hin. Abends geht er mit seinen Freunden in Discotheken. An einem
Abend lernt er ein Mädchen kennen. Sie ist 15 Jahre alt und heißt Marlies
Thomas trifft sich mit Marlies jeden Abend. Mit nach Hause nimmt er
Marlies nie, denn er möchte nicht von seinen Geschwistern aufgezogen
werden. Marlies geht noch zur Schule und möchte später Kindergärtnerin
werden. Marlies verhilft Thomas zu einer neuen Lehrstelle und überredet
ihn, er soll seine Arbeit nicht wieder hinschmeißen. Thomas hat ein
Bild von Marlies in seinem Zimmer, was seine Geschwister natürlich
wieder unter die Lupe nehmen. Seine Schwester zeigt das Bild der Mutter.
Als Thomas am Abend nach Hause kommt, spricht die Mutter auf das
Bild an. Thomas erzählt ihr, daß er eine Freundin hat. Seine Mutter
meint nur, es wäre besser, wenn er sich um seine Zukunft kümmern
würde. Als Thomas ihr erzählt, Marlies habe ihm zu einer Lehrstelle
verholfen, sagt die Mutter nichts mehr. Mit seinen Freunden im Eiscafe
ist er nur noch selten zusammen. Seinen anderen Freunden ist es auch
nicht besser ergangen. Am Abend trifft Thomas Charly mit einer Rocker-
gruppe. Charly fragt Thomas, wie es ihm geht und was er macht. Thomas
erzählt ihm, daß er eine Lehrstelle gefunden hat. Charly dagegen treibt
sich auf den Straßen herum, knackt Automaten und klaut. Charly meint,
es ist gut, wenn man nichts tun braucht. Sie unterhalten sich nicht
lange, denn Thomas hat sich mit Marlies verabredet. Thomas gefällt die
Lehrstelle nicht besonders, aber weil er Marlies hat, geht es schon
etwas besser. Er geht zweimal in der Woche zur Berufsschule, denn er
will, wenn er 18 ist, auf die Abendschule gehen. Mit Hilfe von Marlies
wird er es schon schaffen.* —

*Thomas hat sich in seinen Beruf als Sportreporter zu sehr vernarrt. Er
weiß doch selber, daß dieser Wunsch nur eine Illusion ist. Es ist also
besser, wenn er "seinen Sportreporter" aus dem Kopf schlägt und sich
nach anderen Lehrstellen umsieht. Irgendetwas wird es schon geben, was
sein Interesse erwecken könnte. Charly liegt mit seiner Gewalt ziemlich
schief, denn wenn er Hausaufgaben von anderen machen läßt, lernt er
nichts dabei. Die ganze Klasse sollte sich über die vielen Berufe, die
es gibt, im klaren sein, auch über die Tätigkeiten. Sie könnten sich
in den Ferien verschiedene Berufe, für die sie eventuell Interesse*

haben, mal anschauen, mit Lehrlingen sprechen, oder sich Prospekte
geben lassen, die sie dann untereinander austauschen können. Mit seiner
Schwester kann Thomas doch mit dem Zimmer tauschen, damit er in
Ruhe die Prospekte studieren kann, oder die erforderlichen Kenntnisse sammeln.

———

Thomas ist ganz unglücklich, denn er kann seinen Traumberuf
nicht ausführen. Aber er muß ja leben. Seine Eltern können
ihn kaum noch ernähren, denn er stellt doch Ansprüche mit seinen
15 Jahren. In seiner Klasse ist das Problem genauso, nur ein
paar aus seiner Klasse haben schon eine Lehrstelle. Thomas seine
Verhältnisse zuhause sind sehr schlecht, denn er kann nicht in
Ruhe seine Schulaufgaben machen. Wenn er jetzt pauken würde wie
ein Irrer, könnte er es trotzdem nicht schaffen. Er kann auch
nicht mit seinen Eltern darüber sprechen, weil seine Eltern
kaum Zeit für ihn haben. Meistens spricht er darüber mit seiner
Klassenkameradin (Freundin). Thomas hat sich schon über gewisse
Arbeitsstellen erkundigt, aber keine ist etwas für ihn. Seiner
Freundin geht es genauso, sie hat auch keine Lehrstelle. Sie
würde es ja als Verkäuferin versuchen, aber ... Er findet keinen
Ausweg mehr! Noch zwei Wochen bis zum Schulabschluß. Als Thomas
nach Hause von der Schule kam, ging gleich das Theater wieder los mit
seinen Geschwistern. Da klingelt es, Thomas macht auf. Vor der Tür
steht Onkel Klaus. Ich umarmte ihn. Er sagte, daß er für mich eine
Lehrstelle hat, zwar nicht Sportreporter, aber bei der Post als
Fernmeldetechniker, denn Thomas bastelt gern mit elektrischen
Sachen. An diesen Beruf hatte Thomas gar nicht gedacht. Thomas
fragte, woher er weiß, daß er in Schwierigkeiten ist. Von deiner
Mutter, die hat mich benachrichtigt. Thomas war glücklich.

Wie ich Hauptschullehrerin wurde

Im Stück habt ihr eine erfahrene Lehrerin gesehen. Sie ist bestimmt schon zehn Jahre im Schuldienst. Die Schüler haben Vertrauen zu ihr, obwohl sie von ihr manchmal ganz schön vollgequatscht werden.

Welche Schwierigkeiten erst recht eine junge Lehrerin am Anfang ihres Berufs hat, könnt ihr euch gut vorstellen, wenn ihr den Bericht von Sigrid Heine lest.

Zunächst: Ich hatte Kinder recht gerne, ich wollte nicht ewig studieren, dachte mir aber: Später kann ich ja auch eine halbe Stelle übernehmen. Ich kam an eine Hauptschule in Berlin 65. Das überraschte mich nicht: Ich hatte mich während des Studiums nie sonderlich hervorgetan, war keinem aufgefallen und wurde nirgendwo ,dringend angefordert'. Natürlich wäre ich auch lieber an eine Realschule gekommen: Denn es wird gesagt, dort findet man noch Klassen mit Disziplin; oder an ein Mittelstufenzentrum: Die Schulen sind großzügig ausgestattet. Trotzdem: Beinahe bin ich stolz, wie ich mit ,meiner' Klasse von der Aula ins Klassenzimmer marschiere — die unsicheren Gefühle der letzten Tage (ich habe Fächer zu unterrichten, die ich nur aus der eigenen Schulerfahrung kenne — viel Arbeitsmaterial ist nicht vorhanden) sind verdrängt. Die Vorstellung macht sich breit: Jetzt anpacken, was ich in neueren Theorien für den Lehrerberuf gelernt hatte: Schüler partnerschaftlich behandeln, von ihren Interessen ausgehen, gemeinsame Unterrichtsplanung durchführen, auf ihre persönliche Situation eingehen.

Nach ein paar Monaten bin ich krank geschrieben und habe drei Wochen Zeit, mir zu überlegen, worauf das ganze Chaos, in dem ich mich nun befinde, zurückzuführen ist. Warum steht mein Schulleiter in letzter Zeit so häufig in der Tür — ohne anzuklopfen, ohne zu sagen, wie lange sein überraschender Unterrichtsbesuch (zu dem er berechtigt ist) dauern wird? Hätte ich im Deutschunterricht doch lieber statt Industrie-Reportagen einige Balladen lesen sollen? Ist es ihm doch wichtig, daß die Tische in jeder Stunde gleich angeordnet sind? Hätte einer der Schüler bei der letzten Konferenz, zu der Schüler zugelassen waren, nicht so viel Selbstvertrauen haben dürfen, ihm zu widersprechen? Was für mich noch schlimmer ist: Warum reagiert meine Klasse so chaotisch? Ich erkläre ihnen doch so oft, welche Folgen das hat, wenn Disziplin nur durch Strafen zu erreichen ist. Hätte ich zunächst einmal streng sein sollen, hart durchgreifen, die ,feste Hand' zeigen müssen? Sind sie überfordert mit dem Freiraum, den ich ihnen anbiete? Haben die Eltern recht, die Härte fordern?

Ich suche nach einer privaten Lösung. Ich gehe zur Gewerkschaft, um mich dort zu erkundigen, ob Lehrer für ein halbes Jahr aussteigen können. Ich höre, daß das nicht möglich ist. Aber im Gespräch über meine Situation wird mir klar, wie viele mit denselben Schwierigkeiten wie ich zu kämpfen haben.

Später gehe ich ins Freizeitheim. Einige meiner Schüler sind dort. Ich bin neugierig, wie ihre Freizeit aussieht. Ich möchte mit ihnen reden. Aber so einfach ging das nicht. Ich dachte, einmal privat, außerhalb der Schule, mit ihnen zu reden und dann ist alles in Butter. Da war gar nichts drin. An diesem Abend sehe ich den Zusammenhang zwischen ihrem Schulverhalten und ihrer Lebenssituation viel klarer, als jede Theorie mir bisher erklären konnte. Die Schüler lungern herum, reden wenig miteinander. Aktivitäten, ,,kritisches Freizeitverhalten'' wie es im kritischen Schulunterricht heißt, sehe ich keine, nur lustloses Kickern, eintöniges Kartenspielen, Biertrinken und Blödeln. Ab und zu kommen Aggressionen auf. Sie werden spielerisch und manchmal kurz, hart und ernst ausgetragen.

Sie wollen in Ruhe gelassen werden. Sie fühlen sich wohl. Sie sind unter sich, und das wollen sie auch bleiben. Sie wollen einmal nicht gegängelt sein, vollgestopft mit Anforderungen, die nicht ihre sind.

Ich komme an diesem Abend zu der Einsicht, daß ich die Flinte nicht ins Korn zu werfen brauche. Ich denke nicht mehr daran, mit der Schule aufzuhören. Das hört sich paradox an — bei so viel Elend, ,,heulendes Elend'', sagte die Lehrerin Schmidt im Stück.

Ich merke, daß nicht ich durch Reden und andere guten Unterrichtsworte die Schüler produktiv über ihre Lage aufklären kann. Das müssen die Schüler schon selber tun. Einen Beitrag dazu kann ich leisten, indem ich zu ihnen stehe. Dazu muß ich mich, die Lehrerin, erst einmal selber aufklären. Ich muß von den Schülern lernen, wenn ich ihnen etwas beibringen will. Ich muß Geduld haben.

Ich ahne, daß ich gründlich umdenken muß, ehe ich die Theorie, die lehrt, von den Interessen und der Lage der Schüler auszugehen, auch praktisch begriffen habe.

Ich muß Schritt für Schritt vorgehen, bei den Schülern und auch bei mir. Ich muß Anforderungen stellen, nicht dem Lehrplan nach, sondern solche, die die Schüler erfüllen können. Und doch muß ich auch den Lehrplan einhalten. Ich muß den Schülern zeigen, daß ich etwas von ihnen will, z.B. von ihnen und mit ihnen lernen. Ich muß das Einmaleins der Wissensvermittlung vergessen und die Grundlagen praktischen Lernens vermitteln. Und ich muß den Lehrplan erfüllen. Ich muß erfinderisch werden.

Ich rechne mit Angriffen von Kollegen, die vom versauten Haufen reden, und mit Angriffen von der Schulleitung.
Ich rechne auch mit Kollegen, die denselben Weg gehen wollen, mit denen ich zusammenarbeiten kann.
Ich rechne mit Rückschlägen.
Ich rechne mit Fortschritten.

Sigrid Heine

Die Lehrer-Beamtin Helga Schmidt hat sich entschieden

Der Lehrer Wilfried Liebchen aus Berlin-Wedding stellt Betrachtungen über die Haltung der Lehrerin Helga Schmidt an. In der Konfliktsituation zwischen Schüler und Vorgesetzten muß sie für eine Seite Partei ergreifen. H. Schmidts Fall ist kein Einzelfall.

Die Konfliktsituation zwischen Lehranspruch und Beamtenfunktion verdeutlicht die Hauptschullehrerin Helga Schmidt. Sie hat sich bereits zwischen ihrem Wollen als Pädagogin und ihrem Sollen als Beamtin entschieden. Sie will Erkenntnisse vermitteln, nicht disziplinieren und indoktrinieren. ,,Sich nichts bieten lassen, also: kritisches Denken, schnell kapieren — Zusammenhänge erfassen, die Ursachen ihrer Misere durchschauen und die Konsequenzen daraus ziehen'', das sollen die Schüler lernen.

Ob sie es ehrlich meint? Schnulli jedenfalls macht noch keinen Unterschied zwischen ihr ,,und den anderen Säcken''. (,,Wir rühren keinen Finger mehr bei der Schmidten und den anderen Säcken.'')

Nur die konsequente Haltung von Helga Schmidt, die sich im Konfliktfall nicht als Beamtin vor die Institution Schule, sondern als Lehrerin vor ihre Schüler gegen ,,Personenbeschädigung'' stellt, überzeugt die Schüler (,,Die Lehrerin ist doch auf unserer Seite!''), bringt der Lehrer-Beamtin aber auch ein Disziplinarverfahren ein (Rektor Gabler: ,,Frau Schmidt, ich glaube, Sie sind sich über die Folgen Ihres Benehmens nicht im klaren!" „Das gibt ein Disziplinarverfahren, das sich gewaschen hat!");

denn: Das Landesbeamtengesetz schränkt das staatsbürgerliche Recht auf freie Meinungsäußerung ein: Dem Lehrer-Beamten wird „Mäßigung und Zurückhaltung" (§ 19) auferlegt; Disziplinarstrafen werden angedroht. Was als Vergehen gegen den § 19 des LBG ausgelegt und bestraft wird, steht im Ermessen des Dienstherrn.

Die Abhängigkeit des Stadtrats — Dienstherr des Lehrers — von seiner Partei, die Abhängigkeit des Schulrats vom Stadtrat, die Abhängigkeit des Schulleiters vom Schulrat, die Abhängigkeit des Lehrers vom Schulleiter und die Abhängigkeit des Schülers vom Lehrer kennzeichnet die Schule als eine von oben nach unten funktionierende Institution der Macht.

So stellt die Hauptschullehrerin Helga Schmidt an Rektor Gabler die Frage: „Als was verstehen Sie sich eigentlich — als Pädagoge oder Polizist?",

denn: Als Beamter hat sich der Lehrer, auch gegen seine pädagogische Überzeugung, den Anweisungen des Vorgesetzten zu beugen. Im Landesbeamtengesetz (§ 20) wird „volle Hingabe" des Lehrer-Beamten an seinen Beruf gefordert. In welcher Weise die „volle Hingabe" erfolgen darf, ist durch Verordnungen, Vorschriften und Anweisungen der Vorgesetzten vorgeschrieben. Das Landesbeamtengesetz gilt für Lehrer genauso wie für Polizisten.

Rektor Gabler droht: „Wir sprechen uns noch, Frau Schmidt, es ist ja nicht das erste Mal, daß Sie hier Unruhe provozieren!",

denn: Dem Lehrer wird zugemutet, in überfüllten Klassen die Funktion eines Überwachenden und Strafenden auszuüben. Die „pädagogische Fähigkeit" des Lehrers wird daran gemessen, in welchem Maße er für Ruhe und Ordnung sorgt. Der Schüler wird nicht zur Mitbestimmung befähigt; er wird unter den herrschenden Schulverhältnissen zu Verhaltensweisen eines Abhängigen erzogen.

Helga Schmidt: „Sie lernen ‚Ja'-Sagen, sich anpassen. Genau das sollen sie ja später. Mit Duckmäusern kann man alles machen." — Rektor Gabler wünscht: „Keine Diskussion!",

denn: Die den Lehrern auferlegte Schweigepflicht (§ 26 des Landesbeamtengesetzes) verhindert öffentliche Diskussion von dienstinternen Entscheidungen und Anweisungen der Schulverwaltung.

Schweigepflicht wird von der Dienstbehörde als Disziplinierungsmittel benutzt und schaltet Öffentlichkeit aus.

Ähnlich wie das Landesbeamtengesetz ordnet der Bundesangestellten-Tarifvertrag (BAT § 9) für die im Schuldienst angestellten Lehrer die Geheimhaltung aller „negativen" Stellungnahmen an, „ ... denn die Verwaltung tritt nach außen nur als Einheit auf ... Jedem Angestellten wird daher empfohlen, in Zweifelsfällen eher zu schweigen, statt Gefahr zu laufen, eine geheimzuhaltende Angelegenheit zu offenbaren."

Thomas: „Die woll'n Sie doch fertigmachen, weil Sie 'ne ganz dufte Einstellung haben ... "

Schmidt: „Ich habe zu lange gedacht, ich kann mich alleine durchsetzen; dabei gibt's ja Kollegen, mit denen kann man zusammenarbeiten."

Die Konflikte der Hauptschullehrerin Helga Schmidt sind kein Einzelfall. Jede Lehrerin steht mit Beginn ihrer Lehrtätigkeit vor einer grundsätzlichen Entscheidung: der Alternative zwischen engagierter Schülerzuwendung oder resignierender Diensthörigkeit. Will die Lehrerin alle Konflikte mit ihrem Arbeitgeber und Dienstherrn vermeiden, so muß sie zwangsläufig als Funktionärin des Staates auftreten und ihre Unterrichtsarbeit nach den Verwaltungsvorschriften ihrer

Dienstbehörde ausrichten. Sie wird es aufgeben, sich in ihrer Unterrichtspraxis von ihrem pädagogischen Wissen leiten zu lassen, sie wird sich also von ihrer Hochschulausbildung distanzieren. Ihr Beamtenruf gilt ihr mehr als ihr Lehrerberuf. Das garantiert ihr existentielle Sicherheit und vielleicht auch eine Beförderung.

Solches Dienstverhalten führt einerseits zu einer repressionsfreien Diensttätigkeit gegenüber ihrem Vorgesetzten, andererseits aber zur uneffektiven Stundengebung und zu Konflikten mit Schülern und Eltern. Was unter dem Druck dauernder Disziplinierung gelehrt wird, wird nicht gelernt, bestenfalls zur Kenntnis genommen. Solche Stunden sind für Schüler und Lehrer eine Qual.

Will die Lehrerin eine effektive Unterrichtsarbeit leisten, so muß sie sich den Schülerinteressen zuwenden und mit ihnen zusammenarbeiten. Allerdings muß ihre Schülerzuwendung auch den Schülern glaubhaft sein und darf nicht als ein billiger Trick für einen möglichst reibungslosen Unterrichtsverlauf dienen. Die Glaubwürdigkeit der Lehrerin wird von den Schülern daran gemessen werden, inwieweit sie sich auch vor der Schulbehörde für die Interessen, Schwierigkeiten und Nöte ihrer Schüler einsetzt. Meint sie es ehrlich, wird sie weitgehend auf administrative Mittel zur Unterrichtsdurchführung verzichten. Das führt einerseits zu einem guten Schüler-Lehrer-Verhältnis — die Grundvoraussetzung für effektives Lehren und Lernen —, andererseits führt gerade solches Lehrverhalten zu Konflikten mit der Dienstbehörde, weil nun die Schüler einen Freiheitsraum beanspruchen, für den die Schulverwaltung kein Verständnis aufbringen will. Die Schüler verstoßen gegen die „Schulordnung", und die Lehrerin zeigt noch Verständnis dafür. „Die Saat geht auf!" ruft Rektor Gabler.

Lehrerinnen beklagen sich:

Mich selbst bewegen z. Z. am meisten die verheerenden Zustände, unter denen ich unterrichten muß.

... sehe ich mich bei der Masse an Kindern nicht in der Lage außer als Wissensvermittler auch noch meine Aufgaben als Erzieher zu bewältigen. Ich bin traurig, weil ich gezwungen bin, viel autoritärer vorzugehen und den Kindern viel weniger Freiheit zu lassen, als ich gern möchte, nur um mein Pensum zu schaffen.

Ich bin enttäuscht über die mangelnde Initiative vieler Kollegen ...

... weil wir zu der frustrierenden Erkenntnis kommen, daß wir ziemlich allein stehen. Die Folge davon ist, daß man sich der Willkür der Vorgesetzten unterwirft und den gleichen miserablen Unterricht fortsetzt. Miserabel deshalb, weil der Unterricht, der von den Rektoren, Schulräten usw. gewünscht wird, zwar nicht als richtig empfunden wird, man sich aber, weil die „Prüfung ja geschafft werden muß", in das System einordnet.

Um so erfreulicher die Erklärung Berliner Lehrer. Endlich einmal sind Ansätze vorhanden, eine breite Basis zu schaffen und somit die Möglichkeit gegeben, berechtigte Forderungen durchzusetzen.

Die politische Diskriminierung solcher Lehrerinnen führt zu Gesinnungsschnüffelei, Denunziantentum und Angst, dient aber dazu, alle schöpferischen Ansätze zu einer Veränderung und Verbesserung alter Zustände von vornherein zu verhindern. Wie Hauptschullehrerin Helga Schmidt wird manche Lehrerin ein Lied davon singen können.

Wilfried Liebchen

Erlebnisse eines Religionslehrers an Steglitzer Schulen

In diesem Beitrag schildert Horst Kirchmeier, wie er „kommunistischer Umtriebe" verdächtigt wird. Muß Helga Schmidt im Stück sich wegen ähnlicher Verdächtigungen gegen ihren Vorgesetzten zur Wehr setzen, so waren es im Falle Horst Kirchmeier Eltern (genau: zwei Elternpaare) und die BZ, die ihn angriffen, ihm falsche Beweggründe unterschoben und Lügen über ihn verbreiteten. Daß sein Arbeitgeber, die evangelische Kirche, sich hinter ihn stellte, daß alle anderen Eltern der Klasse und fast alle Schüler seinen Unterricht in Ordnung fanden, konnte man nicht in der BZ lesen.

An einer Steglitzer Grundschule hatte ich mit Schülern der dritten und vierten Klassen Ende April 1975 eine Stunde über den 1. Mai gemacht. Ich kam in die Klassen und fragte die Schüler, ob sie wissen, warum wir am 1. Mai schulfrei haben. Keiner wußte genau warum.

Ich erzählte, daß es den Arbeitern früher besonders schlecht ging, brachte Beispiele, berichtete von der Entstehung der Gewerkschaften und sagte, daß die Gewerkschaften die Interessen der Arbeiter vertreten. Am 1. Mai gingen die Arbeiter auf die Straße. Sie stellten ihre berechtigten Forderungen mit Hilfe von Transparenten, Lautsprecherwagen, Sprechchören, Reden und Liedern.

Ich sagte, daß wir im Unterricht am besten herausbringen können, was die Arbeiter wollen, wenn wir eines ihrer Lieder genauer anschauen. Dazu verteilte ich ein Heftchen, das eine Gruppe von Religionslehrern früher einmal zusammengestellt hatte. Die Texte entstammten dem Fischer-Taschenbuch 1403, dem „Arbeitersongbuch". Wir lasen daraus gemeinsam ein Lied von Bert Brecht. Das geht so:

Und weil der Mensch ein Mensch ist,
Drum braucht er was zum Essen bitte sehr.
Es macht ihn ein Geschwätz nicht satt,
Das schafft kein Essen her.
Drum links zwei drei! Drum links zwei drei!
Wo dein Platz, Genosse ist!
Reih dich ein in die Arbeitereinheitsfront,
Weil du auch ein Arbeiter bist!

Und weil der Mensch ein Mensch ist,
Drum braucht er auch noch Kleider und Schuh.
Es macht ihm ein Geschwätz nicht warm
Und auch kein Trommeln dazu.

Und weil der Mensch ein Mensch ist,
Drum hat er Stiefel im Gesicht nicht gern,
Er will unter sich keinen Sklaven sehn
und über sich keinen Herrn.

Und weil der Prolet ein Prolet ist,
Drum wird ihn kein anderer befrein,
Es kann die Befreiung der Arbeiter nur
Das Werk der Arbeiter sein!

Wir haben den Text zunächst besprochen und dann gemeinsam gesungen. Das rhythmische Lied machte den Schülern Spaß. Sie sangen es gerne und behielten es schnell.

Ich stellte die Frage, warum wir den 1. Mai im Religionsunterricht behandeln. Wir erklärten es so: Jesus hat sich auch für die Unterdrückten und Armen eingesetzt. Jesus will das Reich Gottes, das heißt das Glück für alle Menschen. Wenn wir dabei mitarbeiten wollen, dann müssen wir Partei ergreifen für die Armen und Unterdrückten. Natürlich ist Jesus für alle, also auch für die Reichen gekommen. Allerdings nur, um ihnen immer wieder zu sagen, daß sie aufhören müssen reich zu sein, daß sie sich ändern müssen.

Nach dieser Stunde beschwerten sich zwei Elternpaare aus zwei verschiedenen Klassen beim Amt für evangelischen Religionsunterricht. Ich berief Elternabende ein. Die Mehrheit der Eltern stand auf meiner Seite, einige fanden meine Stunde sogar gut, nur wenige Eltern waren empört. Eine Mutter sagte beim Elternabend: Sie brauchen sich den Herrn K. ja nur anzusehen (ich trage einen Bart und lange Haare) dann kann man sich gut vorstellen, daß er zur Gruppe Baader-Meinhof-Bischof Scharf gehören könnte. Bald danach erschien in der Bild-Zeitung folgender Artikel:

BILD-Be

Statt Religion gab's rote Kampflieder...

Da gingen die Eltern auf die Barrikaden ● Lehrer wurde an das Mittelstufen-Zentrum versetzt

.,Janz neua Hit aus 'm ALTEN TESTAMENT, wa?"

rb. Berlin, 12. Juni

Durch das Klassenzimmer der 4a der 19. Grundschule in der Steglitzer Haydnstraße klangen kommunistische Kampflieder. Der Religionslehrer Horst K. (42) gab den Takt an, und 28 Jungen und Mädchen sangen aus vollen Kehlen mit. Diese Musik brachte die Eltern auf die Barrikaden.

Als eine Mutter die Liedtexte sah, forderte sie die Abberufung des Lehrers. „Ich kann es nicht vertreten, mein Kind weiter am Religionsunterricht teilnehmen zu lassen", schrieb die Hausfrau an die evangelische Kirchenleitung.

Die Kirche reagierte prompt Religionslehrer Horst K wurde von der Grundschule ans Mittelstufen-Zentrum versetzt.

Die Mutter eines 9jährigen: „Hier wurde klipp und klar mit den Liedertexten kommunistisches Propagandamaterial an die Kinder verteilt."

„Gehört nicht in den Unterricht"

Und der Vater eines 10jährigen Schülers: „Das Lied der Thälmann-Kolonne, das Einheitsfrontlied und die Internationale gehören nicht in den Religionsunterricht."

In einer Elternversammlung erklärte der Lehrer seine Absicht: Die Lieder wurden gesungen, um den Kindern die Bedeutung des 1. Mai klarzumachen. Warum dann erst am 30. Mai, wollten die Eltern wissen.

Kreis-Katechet Feder spricht daher auch von einer „Ungeschicklichkeit" seines Lehrers. Die Absicht einer politischen Beeinflussung bestreitet er

Nicht ganz so überzeugt zeigte sich ein Teil der Eltern nach der Diskussion mit dem Lehrer. Sie wittern „eine politische Tropfinfusion" hinter ihrem Rücken, denn: Lehrer K. hatte seine Textblätter nach dem Singen stets wieder einsammeln lassen.

Die Kirche hat wirklich prompt reagiert, indem sie nichts Anstößiges an meiner Stunde fand. Von Versetzung war nie die Rede. Mein Abgang von der Grundschule nach den Ferien war lange geplant. Es war mein ausdrücklicher Wunsch nur noch am Mittelstufenzentrum zu arbeiten. Die Texte hatte ich eingesammelt, weil ich sie in anderen Klassen noch brauchte. Das Thälmann-Lied und die Internationale habe ich mit den Kindern nie gesungen. Schüler, die noch nicht wissen, wie die Bild-Zeitung arbeitet, können es an diesem Beispiel erfahren. Lehrer könnten hier aufzeigen, welche Interessen die Bild-Zeitung vertritt. Es wäre gut, das „Lied der Lehrerin" aus dem Stück zu lernen, denn: „Ein kluges Wort und man ist Kommunist".

Horst Kirchmeier

Schülerrechte

Kennt ihr eure Rechte als Schüler? Wilfried Liebchen hat wichtige Punkte zu eurem Recht in der Schule zusammengestellt, die ihr unbedingt lesen solltet. Ihr könnt euch darauf berufen. Sie sind von der „Ständigen Konferenz der Kultusminister der Länder der BRD" formuliert worden.

KENNST DU

— die Rechte des einzelnen Schülers?

Die der Schule vorgegebenen Rechtsprinzipien und der Zweck der Schule erfordern, daß sie bei der Gestaltung von Unterricht und Erziehung die Interessen und Rechte des einzelnen Schülers respektiert und den Schülern ermöglicht, unmittelbar persönlich oder durch gewählte Vertreter am Leben und an der Arbeit der Schule mitzuwirken. Es gehört zu den Aufgaben der Schule, die Schüler mit diesen Rechten so vertraut zu machen, daß sie diese auch wahrnehmen können.

— die Informationsrechte?

Die für den Erfolg eines jeden Unterrichts erforderliche aktive Beteiligung des Schülers am Unterrichtsgeschehen setzt seine weitgehende Information über die Unterrichtsplanung voraus, z. B. auch über Einzelheiten wie Auswahl, Stufung und Gruppierung des Lehrstoffs. Diese Information muß altersgemäß sein und die Interessen der Schüler sowie pädagogische Erwägungen ausreichend berücksichtigen.

Dem Schüler sollen die Bewertungsmaßstäbe für die Notengebung und für sonstige Beurteilungen sowie auf Anfrage einzelne Beurteilungen erläutert werden. Dieser Grundsatz gilt auch für Prüfungsleistungen.

— das Beteiligungsrecht?

Der Schüler soll seiner persönlichen Reife, seinem Kenntnisstand und seinen Interessen entsprechend Gelegenheit erhalten, sich im Rahmen der Unterrichtsplanung an der Auswahl des Lehrstoffes, an der Bildung von Schwerpunkten und an der Festlegung der Reihenfolge durch Aussprachen, Anregungen und Vorschläge zu beteiligen. Diese Mitwirkung des Schülers an der Gestaltung des Unterrichts soll auch bestimmte Methodenfragen einschließlich der Erprobung neuer Unterrichtsformen umfassen.

Falls Vorschläge keine Berücksichtigung finden können, sollen die Gründe dafür mit den Schülern besprochen werden.

— das Beschwerderecht?

Unabhängig von seinem Alter hat jeder Schüler, der sich in seinen Rechten beeinträchtigt sieht, das Recht zur Beschwerde. Die Schule muß sicherstellen, daß der Schüler Gelegenheit erhält, seine Beschwerden vorzutragen, und daß bei begründeten Beschwerden für Abhilfe gesorgt wird.

— die Meinungsfreiheit des Schülers?

Das Grundrecht auf freie Meinungsäußerung steht dem Schüler auch in der Schule zu.

Die Schule muß im Rahmen ihres Bildungsauftrags die freie Meinungsäußerung des Schülers fördern; denn diese ist für den Erwerb von Wissen, seine Verarbeitung und für die Erziehung zum verantwortlichen Staatsbürger notwendig. Die Verarbeitung des erworbenen Wissens und die Erziehung zu selbständigem Urteil erfordern auch die kritische Auseinandersetzung mit dem Stoff durch Diskussion.

Die Schule sollte der freien Meinungsäußerung des Schülers grundsätzlich auch dort Raum geben, wo sie unbegründet scheint. Auch durch die Erörterung solcher Äußerungen können neue Erkenntnisse gewonnen werden.

Maßnahmen der Schule gegen Meinungsäußerungen der Schüler außerhalb des zeitlichen und räumlichen Bereichs der Schule sind grundsätzlich nicht zulässig. Ausnahmen von diesem Grund satz sind nur gerechtfertigt bei solchen Äußerungen, die sich unmittelbar auf die Schule beziehen und auswirken und ihren Bildungsauftrag schwer gefährden, etwa bei Aufforderungen zum Unterrichtsboykott.

— Schülerzeitschriften und Flugblätter?

Schülerzeitschriften sind periodische Druckschriften, die von Schülern für Schüler einer oder mehrerer Schulen redigiert und herausgegeben werden. Sie bieten eine besondere Möglichkeit, das in Art. 5 Abs. 1 des Grundgesetzes festgelegte Grundrecht der freien Meinungsäußerung in der Schule auszuüben.

Schülerzeitschriften können in der Form herausgegeben werden, daß sie außerhalb der Verantwortung der Schule stehen. In diesem Falle tragen die für die Schülerzeitschrift verantwortlichen Schüler im Rahmen der geltenden Gesetze die presserechtliche und strafrechtliche Verantwortung sowie die rechtsgeschäftliche Haftung ausschließlich selbst. Eine Zensur findet nicht statt.

Um zu ermöglichen, daß die vielfach noch minderjährigen Schüler bei der Redaktion und Herausgabe beraten werden, sollte den Schülerredakteuren anheimgestellt werden, sich einen beratenden Lehrer zu wählen. Die Beratung begründet keine Mitverantwortung für die Schülerzeitschrift.

Die Vertriebsmöglichkeit für Schülerzeitschriften innerhalb der Schule muß grundsätzlich garantiert sein, damit sie ihre Aufgaben sinnvoll erfüllen können. Der Vertrieb innerhalb der Schule kann allerdings unterbunden werden, wenn der Inhalt einer Schülerzeitschrift gegen die freiheitlich demokratische Grundordnung verstößt oder die Erfüllung der der Schule gestellten Aufgaben des Unterrichts und der Erziehung erheblich gefährdet.

Flugblätter ... gehören nicht zu den Schülerzeitschriften. Sie stehen außerhalb der Verantwortung der Schule; ihr Vertrieb innerhalb der Schule bedarf in allen Fällen der vorherigen Zustimmung des Schulleiters — (Anmerkung der Redaktion: Außerhalb des Schulgeländes bedarf es keiner Genehmigung für die Verteilung von Flugblättern, entgegenlautende Behauptungen sind falsch).

— den sogenannten Schülerstreik?

Der Begriff „Schülerstreik" wird vielerorts verwendet, obgleich sich Artikel 9 Abs. 3 Grundgesetz ausschließlich auf Arbeitskämpfe tarifvertragsfähiger Parteien bezieht und für das Schulverhältnis nicht gilt.

Der „Schülerstreik" ist lediglich ein organisiertes unentschuldigtes Fernbleiben vom Unterricht. Ein Recht, den Unterricht zu „bestreiken", besteht daher nicht.

— das Demonstrationsrecht?

Das Demonstrationsrecht kann in der unterrichtsfreien Zeit ausgeübt werden.

Der Wortlaut zu den einzelnen Überschriften stammt aus der „Erklärung der Ständigen Konferenz der Kultusminister der Länder in der Bundesrepublik Deutschland vom 25. Mai 1973", Titel: ZUR STELLUNG DES SCHÜLERS IN DER SCHULE, Kersting-Druck: Hangelar.

WUSSTEST DU SCHON ?

Die Schule soll (1)

— Wissen, Fertigkeiten und Fähigkeiten vermitteln,

— zu selbständigem kritischen Urteil, eigenverantwortlichem Handeln und schöpferischer Tätigkeit befähigen,

- zu Freiheit und Demokratie erziehen,
- zu Toleranz, Achtung vor der Würde des anderen Menschen und Respekt vor anderen Überzeugungen erziehen,
- friedliche Gesinnung im Geist der Völkerverständigung wecken,
- ethische Normen sowie kulturelle und religiöse Werte verständlich machen,
- die Bereitschaft zu sozialem Handeln und zu politischer Verantwortlichkeit wecken,
- zur Wahrnehmung von Rechten und Pflichten in der Gesellschaft befähigen,
- über die Bedingungen der Arbeitswelt orientieren.

(1) Wortlaut aus: „Erklärung d. Ständigen Konf. d. Kultusm. d. Länd. d. BRD vom 25. Mai 1973" a.a.O.

WEISST DU AUCH ?

- Die Hauptschule wird auch heute noch von jedem zweiten Schüler eines Jahrgangs besucht,
- jeder vierte Hauptschüler verläßt sie jedoch ohne ein Abschlußzeugnis.
- Seine Chancen, einen Ausbildungsberuf zu erlernen, sinken damit entscheidend.
- Zwei Drittel aller Hauptschüler sind Kinder von Arbeitern, kleinen Angestellten und Landwirten.

aus: „Hauptschule in der Sackgasse", Ergebnisse der GEW-Bundesfachtagung vom 31.10./1.11. 1973 in Karlsruhe.

Wilfried Liebchen

Schüler bereiten ihre Eltern auf das Thema Berufswahl vor

Oft sind Eltern unsicher oder einsilbig, wenn es um die Berufswahl ihrer Kinder geht. Kalle Kowalewski ist einer von ihnen: „Thomas weiß doch, was er werden will", sagt er, und also braucht er sich nicht weiter darum zu kümmern.

Die Schüler von Erika Mühsam haben deshalb mit ihr einen Elternabend zu diesem Thema vorbereitet. Ihr könnt in diesem Bericht nachlesen, ob es nicht für euch auch gut wäre, einmal auf diese Weise mit euren Eltern über eure Berufsprobleme zu reden.

Der Elternabend wird vorbereitet

MOTIVATION

Da die Schüler meiner Klasse von Freunden und Geschwistern über die Schwierigkeit, eine Stelle zu finden, informiert sind, sind sie zum größten Teil völlig verunsichert. Sie werden sich bewußt, daß sie ihre ursprünglichen Berufswünsche wahrscheinlich nicht verwirklichen können, über andere Berufe sind sie von niemandem ausführlich informiert worden. Deshalb sind sie sehr daran interessiert, über verschiedene Berufsbilder, notwendige Voraussetzungen und spätere Chancen mehr zu erfahren.

UNTERRICHTS-
THEMA:
BERUFSFINDUNG:

Wir beschäftigten uns deshalb im Unterricht mit dem Thema Berufswahl. Um einen Überblick über die verschiedenen Berufsfelder zu gewinnen, hatten wir einige Broschüren des Arbeitsamtes durchgearbeitet und einige Filme angesehen. Zum Bereich ‚Lehrstellenknappheit' wurden einige Zeitungsartikel analysiert. Einige ehemalige Schüler berichteten über ihre Erfahrungen bei Berufwahl und Stellensuche. Schließlich wurde ein Berufsberater eingeladen, der einen allgemeinen Überblick gab und Fragen beantwortete.

ELTERNABEND	Bei der Arbeit zeigt sich, daß die Entscheidung für einen bestimmten Beruf häufig von Wunschvorstellungen der Eltern beeinflußt ist. Da die Schüler von den meisten Berufen nur vage Vorstellungen haben, können sie den konkreten Beschreibungen und ‚Beweisen' von Eltern oder Freunden wenig entgegensetzen. Da andererseits die Eltern durch ihre Berufspraxis in der Lage sind, Informationen zu geben, die vielen anderen Schülern nützen, hielten wir es für sinnvoll, die Eltern einzuladen.
VORBEREITUNG	Wir wollten an diesem Abend durch einige Spielszenen unsere Probleme und bisherigen Erkenntnisse verdeutlichen und mit den Eltern hauptsächlich über folgende Punkte diskutieren, die uns bei der Arbeit wesentlich beschäftigt hatten:

    — Welche Unterstützung können Eltern geben?
    — Was ist vom Berufsberater zu erwarten?
    — Das Problem geht alle an

Der Ablauf des Elternabends

Welche Unterstützung können Eltern geben?

Wie soll man sich unter 13 000 Berufen zurechtfinden? Aus naheliegenden Gründen wendet man sich bei der Frage nach der Berufswahl an die Eltern: Sie kennen ihr Kind, wissen um seine Fähigkeiten und Schwächen, unterstützen seine Interessen. Häufig ist allerdings zu beobachten, daß Eltern ähnlich unsicher dem Berufsangebot gegenüberstehen und oft nur aus ihrem eigenen Erfahrungsbereich oder ihren eigenen Wunschvorstellungen heraus argumentieren. Diese Problematik versuchten die Schüler mit folgendem Spielentwurf zu umreißen:

SZENE 1	Christina will Erzieherin werden; sie spielt gerne mit kleinen Kindern, bastelt gerne, ist musisch begabt. Es fällt auf, daß sie im Umgang mit schwierigen Kindern keinerlei Schwierigkeiten hat. Aber die Eltern sind mit ihrem Berufswunsch nicht einverstanden: Die Mutter meint, sie hätte es nicht nötig, sich mit den Kindern anderer Leute rumzuärgern; der Vater hält die Arbeit im Labor für viel interessanter und abwechslungsreicher. Er selbst ist Angestellter in einer chemischen Fabrik und sieht in seiner Tochter die kleine „Forscherin''. Alle Bedenken Christinas räumt er aus — schließlich kennt er sich in diesem Bereich aus und meint, auch seine Tochter ganz genau zu kennen.
REAKTION DER ELTERN	Wer fühlt sich schon gerne getroffen? Natürlich will keiner der Anwesenden sein Kind auf irgend etwas hin festlegen! Daraus kann doch nichts werden! Wie man ihnen aber wirklich hilft! Nun, man macht für sie einen Termin beim Arbeitsamt aus. Wozu gibt es diese Einrichtung! Sonst? Meine Güte — man hört sich schon mal so nach einer Lehrstelle um — aber die Kinder gehen ja doch ihre eigenen Wege. Stimmt schon: richtig helfen kann man eigentlich nicht ...

Was ist vom Berufsberater zu erwarten?

Schüler und Eltern erwarten vom Berufsberater verschiedene Informationen: Beschreibung des Tätigkeitsbereichs, Aufstiegschancen, Verdienstmöglichkeiten und die Vermittlung einer entsprechenden Lehrstelle. Häufig sind sie enttäuscht, wenn ihre Vorstellungen nicht bestätigt werden können, weil gar keine Stellen vorhanden sind oder die notwendigen Voraussetzungen nicht erfüllt sind. Deshalb ist es wichtig, Schülern und Eltern zu verdeutlichen, welche Doppelrolle der Berufsberater spielt: Einerseits ist er den Schülern ‚verpflichtet', wird von ihnen als Helfer verstanden, andererseits ist er der Wirtschaft ‚zu Diensten', deren momentane Bedarfslage die Grundlage seiner Vermittlungstätigkeit darstellt. Dazu folgender Spielentwurf:

SZENE 2	Frank hat es leicht: Er will Installateur werden — sein Vater hat ein eigenes Geschäft. Ihm ist der Arbeitsbereich vertraut — sein Beruf ist gefragt. Nur weil er nicht bei Geschäftsfreunden seines Vaters in die Lehre gehen will, läßt er sich eine Adresse vom Berufsberater geben...
SZENE 3	Schwieriger hat es Claudia: Sie will Chemielaborantin werden. Beim Betrachten der Zeugnisse runzelt der Berufsberater die Stirn: Dazu hätte sie viel bessere Zensuren haben müssen! So hat sie keine Chance, von Bewerbern eine der 20 Erwählten zu sein! Aber er bemüht sich um sie: Dir fällt es wahrscheinlich leicht, genau zu beobachten, schnell zu reagieren?!! Da hätte ich für dich eine Adresse von einer Drogerie — da steht auch 'ne Menge Chemie rum!' Claudia ist verblüfft: Verkäuferin???
REAKTION DER ELTERN	Man ist empört — über die unangemessene Ironie des Beraters, seine Unverschämtheiten und Einschüchterungsversuche. Früher war das offensichtlich nicht anders: Ein Vater meint, zu seiner Zeit sei aus jedem, der zur Berufsberatung ging, ein Funker geworden. Ein anderer nimmt den ‚armen Teufel' in Schutz: ‚Der kann doch gar nicht anders, was soll er schon anbieten: D e r beschäftigt doch keinen!!' Wie kommt es bloß, daß er zur Zeit nichts mehr in seinem Schatzkästlein hat? Man vermutet: allgemeine Wirtschaftslage... Immer mal wieder schleichen sich Zwischentöne ein: ‚Das hat ja auch nicht so weitergehen können, das Gehabe der Lehrlinge bei uns im Betrieb: Die Herren waren sich schon für alles zu fein, ehe sie was gelernt hatten!!' Darauf reagieren einige Schüler sehr ‚empfindlich': Sie wollen eine Stelle, in der sie etwas lernen können, das ist ihr gutes Recht. Sie verweisen auf das Grundgesetz. Gutes Recht? Ein Vater höhnt: Recht wäre auch, wenn er Arbeit hätte... Manche Eltern deuten an, daß Stellenangebot und Lehrstellenknappheit am selben Faden hängen. Weder sie noch der Berater haben darauf Einfluß.

Das Problem geht alle an

Eine Schülergruppe bereitet eine Folie vor, auf der Berufe aufgeführt sind. Auf Zuruf der Eltern werden diejenigen gestrichen, die nach deren Meinung nicht von ihren Kindern übernommen werden. (Realschule!)

Das Ergebnis macht deutlich, daß auch die Eltern ganz bestimmte Erwartungen damit verbinden, daß ihre Kinder zur Realschule gehen.

Anstelle einer Antwort spielen die Schüler folgende Szene:

Apotheker   Friseuse   Elektroingenieur

   Kindergärtnerin   Fleuristin   Bibliothekar

Dreher   Maschinenschlosser   Hobler

   Chemielaborant   Ärztin   Verkäuferin

Med.techn. Assistentin   Werkzeugmacher

   (Kinder-)Krankenschwester

SZENE 4

Zwei Hauptschülerinnen gehen auf Stellensuche: Sie bewerben sich bei einem Friseur, der Lehrmädchen sucht. Als sie abgelehnt werden, nehmen sie an, ihr etwas forsches Auftreten sei der Grund für die Ablehnung gewesen und versuchen es im nächsten Geschäft. Die Höflichkeit nützt ebenso wenig wie ihre guten Zensuren: Realschülerinnen werden bevorzugt. Die Chefin sagt noch: ,Wir wären ja dumm, wenn wir die nicht nehmen würden'...

Einige Requisiten werden vertauscht, dann:

SZENE 5

Eine Abiturientin sitzt im Sprechzimmer eines Arztes. Sie bewirbt sich um die Stelle einer „Arzthelferin, die verantwortungsbewußt und selbständig arbeiten will". Sie hat gute Aussichten: als Abiturientin, die selbst Ärztin werden wollte (sie kann nur wegen des Numerus clausus nicht studieren), wird sie gerne in der Arztpraxis aufgenommen. Als dann eine Realschülerin kommt, hört sie, daß kein Bedarf mehr besteht. Sie ist enttäuscht. Der Arzt macht ihr Mut: ,Sie haben ja gute Zensuren, da kommen sie überall unter!' Nur: w o ???

REAKTION DER ELTERN

Die Eltern sind betroffen. Als sie entschieden haben, daß ihr Kind zur Realschule gehen soll, da haben sie an Sicherheit und gehobene Laufbahn gedacht — aus der Traum. Eine Mutter meint: Dann hätten sie ja gleich zur Hauptschule gehen können! Das wohl doch nicht — aber sie fühlen sich betrogen um die Hoffnung, daß bei ihren Kindern einmal alles leichter und besser geht. Viele von ihnen, deren Berufssuche in die Nachkriegszeit fiel, hatten geglaubt, daß die bessere Bildung und der Realschulabschluß ihren Kindern helfen würde, mal was Anständiges, was Besseres zu werden. Friseuse? Dreher? Nein!! Wer tüchtig ist, ...

TONBANDAUF-ZEICHNUNG EHEMALIGER SCHÜLER

Für einige Schüler ist dies das Stichwort; sie haben mit Schülern der 10. Klasse gesprochen, und dieses Gespräch wurde aufgezeichnet: Eine Schülerin der Abgangsklasse wird Friseuse. Sie hat sich ein halbes Jahr um alle möglichen Stellen bemüht. Jetzt ist sie ,mürbe'. Sie wird bei einem Friseur eine Stelle antreten. Besser als nichts. Ob sie sich gedacht hat, mal dort zu arbeiten? „Gedacht? So'n Quatsch — wer denkt schon, daß es einen selbst erwischt? Da hofft doch jeder: Bei mir wird's schon noch klappen." Die Hauptschüler, das weiß man, die sind beschissen dran. Wir nicht. Noch kann eine Realschülerin wählen. Nur: Wie gering die Auswahlmöglichkeiten sind, das wird einem erst nach der 10. Absage klar... Aus dem Tonband hört man die Stimme des Berufsberaters: ... „Durchschnittliche Leistungen werden verlangt, wenn man sich als Friseuse bewirbt, ... bei der Glas- und Gebäudereinigung..."

SCHLUSS

Sicher darf nach solchen Aussagen nicht nur Resignation übrigbleiben. Deshalb stellen die Schüler am Ende des Abends zusammen, was ihnen bei dem Gespräch mit den Älteren noch aufgefallen ist: mit welchen Prüfungsfragen man rechnen muß, wann man mit der Stellensuche beginnen soll usw. (S.S.41) Nochmal wird die Frage aufgegriffen, die schon nach der ersten Szene gestellt wurde: Was können die Eltern tun? Im Gespräch wird deutlich, daß ihre Hilfe u.a. darin bestehen muß, den Druck nicht zu verstärken, sondern Selbstbewußtsein zu geben, die Kinder zu unterstützen, in Gesprächen mit dem Berufsberater und in Gesprächen zu Hause für sie die Situation durchschaubar zu machen.

Erika Mühsam

Ein Fußball fehlt

„Wir möchten's aber so haben wie die", sagt Sabine im Stück in Bezug auf die „Typen von den anderen Schulen" (Hella). Der Bericht von Hauptschullehrer Herbert Esser, dem ein wirklicher Vorfall an seiner Schule zugrunde liegt, zeigt, wie Hauptschüler bei der Ausstattung ihrer Schule gegenüber anderen Schulzweigen benachteiligt werden. Die Ungerechtigkeit fängt bei der Verteilung der Mittel an.

Stellt euch vor: Hertha spielt im vollbesetzten Olympia-Stadion gegen Bayern München. Die Zuschauer fiebern dem Spiel entgegen. Nun betreten Schiedsrichter und Spieler den Rasen. Alles wartet auf den Anstoß. Doch das Match kann nicht beginnen — es ist kein Ball da! Unvorstellbar — ein Fußballspiel ohne Ball. Oder?

Was von Bundesliga bis B-Klasse unmöglich zu sein scheint, vor einem Spiel zweier Berliner *Hauptschulmannschaften* ist das wirklich passiert. Eines der Vorrundenspiele um die Berliner Schulmeisterschaft. Spielbeginn 14 h. Die Schüler stehen auf dem Platz. Die „Heimmannschaft" muß den Schiedsrichter und den Ball stellen. Doch kein Ball ist da. Großes Rätselraten. Der Schiedsrichter (Sportlehrer und Trainer der „Heimmannschaft") hat nämlich keinen. Seit fünf Monaten gibt es an seiner Schule — einer Hauptschule mit etwa 500 Schülern in 20 Klassen — keinen Fußball mehr. Zwar wurden 8 Fußbälle schon frühzeitig beim Bezirksamt angefordert, aber das dauert so seine Zeit. Bis jetzt haben die Schüler zu den Rundenspielen (und auch zum normalen Sportunterricht) immer *eigene* Bälle mitgebracht. Doch diesmal hat keiner einen Ball dabei. Stimmen werden laut. „Scheiß-Schulmannschaft". „Was ist denn das für ein Saftladen hier". „Wenn die Realschule Heimmannschaft ist, sind immer mehrere Bälle da." Mannschaftskapitän der „Gastmannschaft": „Wenn ihr keinen Ball habt, gewinnen wir das Spiel kampflos, in den Regeln steht, wenn das Spiel nicht spätestens 14.15 h angepfiffen wird, bekommen wir die Punkte." Guter Rat wird langsam teuer. Dann die rettende Idee. „Mein Bruder hat zu Hause noch einen Ball, ich fahre mit dem Rad hin und hole ihn". Warten. Endlich — 14.25 h — der Ball ist da. Das Spiel kann beginnen.

Mußte das so sein?

Herbert Esser

Die Erwachsenen beschweren sich

Die Theaterfiguren reden zu euch. Sie nehmen eure Einwände vorweg und verteidigen sich. Ihr könnt euch mit ihren Standpunkten und Beweggründen auseinandersetzen, wenn ihr versucht, von verschiedenen Seiten ihre Verteidigungsreden zu überprüfen.

Das läßt sich gut und mit Spaß im Rollenspiel machen. Ihr könnt die Rollen der Erwachsenen übernehmen, wie sie hier aufgeschrieben sind, und mit Doris, Charlie und den anderen Schülern im Stück reden lassen; oder ihr selber redet als Schüler mit ihnen in einem Rollenspiel, oder ihr erfindet neue Figuren wie z.B. den Hausmeister, die bisher gar nicht vorgekommen sind.

KARL KOWALEWSKI: Also, ich muß Ihnen sagen, so ist das nicht bei uns zu Hause. Vergessen Sie doch nicht, daß man viel zu wenig Zeit hat. Wie soll man sich denn da um die Kinder kümmern? Man will ja das beste, aber es fehlt eben an Gelegenheiten, sozusagen.

ELSA KOWALEWSKI: Wenn das einer sieht, dann denkt der ja, bei uns wird mit den Kindern bloß rumgeschrien. Wie soll man denn die Familie zusammenhalten, wenn man gerade noch beim Essen miteinander reden kann. Und so einen Zusammenhalt braucht man doch, sagen Sie ja selber.

BERUFSBERATER: Sie machen mir Spaß. Über meine Arbeit herziehen, das ist weiß Gott nicht schwer, gerade heutzutage. Aber was soll ich denn tun? Na? Soll ich denn wirklich meinen Beruf an den Nagel hängen? Denken Sie mal an die Konsequenzen! So kann ich vielleicht doch dem einen oder anderen nützlichen Tip geben und das Schlimmste verhüten.

VORGESETZTER: Richtig! Uns wär es auch lieber, wenn wir mehr Leute einstellen könnten, das dürfen Sie mir glauben. Aber wir müssen rationalisieren, sonst sind wir nicht mehr konkurrenzfähig, und dann machen wir pleite. Dann gibts gar keine Lehrstelle mehr bei uns, und wem ist denn damit gedient?

VERKÄUFERIN: Sie tun ja gerade so, als wär mir das ganz egal, ob die Schüler was lernen oder nicht, wenn sie bei uns ihr Praktikum machen. Das stimmt nicht! Ich bin dafür, daß sie was lernen, aber dazu gehört auch, daß sie sich einfügen in so einen Betrieb. Überlegen Sie doch mal, wie das an die Nerven geht, so eine Arbeit. Wenn da einer aus der Reihe tanzt, geht alles drunter und drüber. Dann haben wir noch mehr Arbeit. Die Schüler hätten ja auch zum Chef gehen können und sich beschweren, auf manierliche Art. Der ist ja kein Unmensch. Und außerdem: Wir machen doch die Preise nicht. Das kommt von der Leitung. Aber den Ärger mit den Kunden, den haben wir.

MARTIN WOLF: Ich halte es für völlig falsch, daß Sie meinen Fotozirkel so lächerlich machen. Haben Sie vielleicht eine bessere Idee? Und wenn nur ein einziger kommt und mitmacht, dann ist meine Arbeit nicht umsonst gewesen.

HELLA: Es ist unsolidarisch, wenn Sie den Eindruck erwecken, meine Arbeit im Jugendfreizeitheim sei völlig nutzlos und modischer Schnickschnack. Nehmen Sie doch bitte mal zur Kenntnis, daß ich den Jugendlichen ganz praktisch und ganz konkret helfe: Ich besorge die Farbe, und ich besorge die Schreibmaschine. Riskiere ich etwa nichts?

FRAU SCHMIDT: Ich finde, im großen und ganzen ist das Problem richtig dargestellt. Man möchte helfen, indem die Schüler lernen, ihre eigene Situation zu verstehen. Und dabei gibt es immer wieder Schwierigkeiten. Aber daß die so groß sein sollen, also ich meine, so große Schwierigkeiten mit dem Erklären habe ich ja nun doch nicht. Das ist doch wohl übertrieben. Ein bißchen jedenfalls.

REKTOR GABLER: Wie Sie erwarten werden, teile ich die Ansicht der Kollegin ganz und gar nicht. Da wird nicht ein bißchen übertrieben, sondern hemmungslos einseitig dargestellt. So einfach ist die Sache eben nicht, wie Sie sich das machen. Versuchen Sie doch mal, sich vorzustellen, wie man unter den gegebenen Umständen, bei überfüllten Klassen und was weiß ich wie vielen Fehlstunden einen einigermaßen geordneten Unterricht aufrechterhalten soll! Da gibt es immer einen Anlaß für Beschwerden, aber was hilft denn das? Nichts! Im Gegenteil, wird alles nur noch schlimmer, bis der Schulbetrieb am Ende ganz zusammenbricht. Wollen Sie das verantworten?

KOLLEGE QUERULEIT: Richtig! So ist es!

HAUSMEISTER LEMKE: Interessant, daß ich überhaupt nicht vorkomme. Sie haben wohl gedacht, ach, der hat sowieso nichts zu sagen.

Detlef Michel

„Tatort" Hauptschule

Zweimal dieselbe Geschichte: Einmal als Bildgeschichte, einmal als Dialog (siehe Beilage). Beides kann Ausgangspunkt zum Rollenspiel oder Material für eine Diskussion sein.

In der Bildgeschichte stehen die Konflikte der Schüler im Mittelpunkt, im Dialog der Konflikt des Lehrers: wie soll der Lehrer sich entscheiden, für seinen Vorgesetzten und gegen seine Schüler oder umgekehrt? Es wird euch sicher nicht schwerfallen, euch das Verhalten der Schüler vorzustellen. Versucht aber auch einmal, euch in die Lage des Lehrers zu versetzen!

Rektor: Herr Kollege, kommen Sie doch einmal bitte ins Amtszimmer, wir müssen dort einen Fall klären.

Lehrer: Um was handelt es sich denn?

Rektor: Auf der Mädchentoilette hat nach einem Streit eine Schülerin *Ihrer* Klasse einem anderen Mädchen einen Schuh weggenommen und aus dem Fenster geworfen. Der Schuh ist nun spurlos verschwunden.

Lehrer: Und was soll ich nun unternehmen!

Rektor: Sie sollen herausbekommen, wer der „Täter" ist.

Lehrer: Ach so!

Lehrer betritt Amtszimmer, in dem die „verdächtigten" Schüler warten. Einer muß der „Täter" sein.

Lehrer: Nun stellt euch einmal nicht so an. Also raus mit der Sprache. Wer von euch hat den Schuh aus dem Fenster geschmissen?

Erste Schülerin: Das verrate ich nicht. Ich bin doch keine Petze.

Zweite Schülerin: Wir halten dicht.

Lehrer: Ich habe den Auftrag, den „Täter" dem Rektor zu melden. Macht *mir* also keine Schwierigkeiten.

Dritte Schülerin: Von uns erfahren Sie gar nichts.

Lehrer: Nun, wie ihr wollt. Wir sprechen uns noch.

Lehrer verläßt die Schüler und geht zum Rektor.

Lehrer: Herr Rektor, die Schüler wollen nicht verraten, wer von ihnen den Schuh aus dem Fenster geworfen hat.

Rektor: Es ist ihre Aufgabe, den Täter zu ermitteln, Herr Kollege, Sie sind schließlich der Klassenlehrer. Sie müssen auf die Schüler pädagogisch so einwirken, daß der Täter sein Fehlverhalten einsieht und sich freiwillig meldet. Wo kommen wir sonst hin?

Lehrer: Schön und gut. Aber was hat der „Täter" für Möglichkeiten. Wenn er ...

— —

Wie könnte die Geschichte enden?

Wie würdet Ihr Euch als Lehrer verhalten?

Herbert Esser

Rollenspiele von Schülern

Lothar Binger war mit seinem Video-Gerät in mehreren Hauptschulklassen und hat Schüler Szenen aus dem Gedächtnis nachspielen lassen.

Vielleicht bekommt ihr Lust, selbst einmal Szenen nachzuspielen, wenn ihr den nachfolgenden Text der Spielversuche lest.

Es handelt sich hierbei um einen *Auszug* aus kommentierten Video-Protokollen. Er beginnt mit Erläuterungen zur Spielsituation in zwei Klassen..

Außer an die Spraydosen-Szene erinnern sich die Schüler auch sehr gut an die Szene auf dem Schulhof, als der Rektor an der Schulwand den Spruch entdeckt: Alles klar in diesem Haus, Charlie rein, Gabler raus! Rektor und Sportlehrer sind ganz aufgeregt, gereizt und zugleich hilflos. Die Schüler machen sich über die beiden lustig. Aber es fällt schwer, wie die nachgespielten Szenen zeigen, über den an die Wand gesprühten Protest hinaus auch Argumente gegenüber Rektor und Sportlehrer zu finden. Diese Argumente kommen im Stück von der Lehrerin. Beim Nachspielen haben die Schüler Schwierigkeiten, selber Argumente zu finden. Die Schüler kommen mit der Person der progressiven Lehrerin nicht zurecht. Sie vertritt zwar die Interessen der Schüler, steht aber in ihrer Funktion als Lehrerin dennoch auf der anderen Seite. Kein Wunder, daß eine Klasse beim Nachspielen die Lehrerin in dieser Schulhofszene ganz wegließ, sie einfach vergaß.

In einer nachgespielten Schulhofszene versucht eine Schülerin als Lehrerindarstellerin Verständnis für die Schüler zu zeigen und sie in Schutz zu nehmen, zumindest deren Verhalten zu erklären. Aber sie wird von den beiden Schülern (Rektor und Sportlehrer) mit gängigen Schlagworten angefahren und muß vor dem bedrohlichen Zeigefinger des Sportlehrers sogar zurückweichen. Sie kann sich gegenüber ihren lautstarken Kontrahenten mit ihrer leisen Stimme nicht durchsetzen. Ihr fallen auch keine wirkungsvollen Argumente ein. Eine Schülerin regt nach diesem Nachspielen an, daß man die Szene wiederholen solle. Die Mädchen, die bei diesem Spiel in der Mehrheit sind, greifen den Vorschlag sofort auf und wollen die Szene wiederholen. Rektor und Sportlehrer sind jedoch auch bei dem zweiten Versuch nicht nur als Jungen in der besseren Position. Sie haben es auch leicht, als Autoritätspersonen gängige Argumente zu wiederholen.

Zweiter Nachspiel-Versuch der Szene Rektor/Sportlehrer und Lehrerin Helga Schmidt

Rektor:	Also Frau Schmidt, wir nehmen doch stark an, daß das welche aus ihrer Klasse waren.
Schmidt:	Ja, aus der 9a, das nehme ich auch an.
Sportlehrer:	Wie kamen denn die Schüler auf diese Idee, sowas an unsere Schulmauer zu schmieren?
Lehrerin:	Das weiß ich selber nicht, aber ich finde, es ist eine Schweinerei, über meinen Kopf hinweg die Eltern zu benachrichtigen von Charlie.
Rektor:	Ja.
Lehrerin:	Denn Sie wissen ganz genau, was dann mit Charlie passiert, daß er ins Heim kommt.
Rektor:	(entrüstet) Ich?
Lehrerin:	Ja, Sie!
Rektor:	Das hat er doch selbst verschuldet.
Sportlehrer:	Bravo, richtig, ja!
Rektor:	Soll sich doch anständig benehmen, was kann ich denn dafür.
Lehrerin:	(will was sagen, kommt aber nicht durch) Ja, aber ... (breitet die Arme aus und stemmt sie resigniert und zugleich wütend in ihre Taille)
Rektor:	Was kann ich dafür, der, der benimmt sich hier wie 'ne Sau an unserer Schule und

	denn soll ich noch sagen: ,Ja, kleiner Charlie, richtig so'. (ironisch) Nöööööeeeee (meckert wie eine Ziege)
Lehrerin:	(etwas hilflos) Was heißt hier Nöööö? Trotzdem ist das eine Gemeinheit. Wieso ...
Rektor:	Nein, das seh ich nicht ein!
Lehrerin:	(bewegt sehr erregt ihre Schultern und sucht nach Worten) Wenn Charlie jetzt hier Rektor wäre und ... (die anderen Mädchen versuchen ihr zu helfen. Sie schaut zu ihnen hin, ist aber nicht in der Lage etwas aufzunehmen).
Rektor:	Sehen Sie mal, bei dem Praktikum. Da kostet eine Dose Raumspray (macht die Bewegung mit der Hand, als ob er etwas aus einer Spraydose versprüht) pssst ... ja kostet 5 Mark 98. (entrüstet) Und Charlie hat daraus 59 Pfennig gemacht. Denken Sie mal, was das Geschäft für Verluste durch ihn hat.
Lehrerin:	(erregt) Jaaaa, aber was soll das sein, sie bekommen dafür (damit sind die Praktikanten gemeint) kein Geld und so, und sie finden das, und sie finden das einfach blöde, die ganze Zeit ... (wird vom Rektor unterbrochen)
Rektor:	Ja, das ist ja auch ein Schritt, ein Schritt ins spätere Leben!
Lehrerin:	(zuckt die Achseln abwehrend)
Rektor:	(weiter bedeutungsvoll) Sie müssen doch lernen, wie man arbeitet. (lachen bei den Mädchen)
Lehrerin:	(wiederholt ihn) Sie müssen lernen, wie man arbeitet ... das wissen sie auch so!
Rektor:	Woher denn?
Lehrerin:	Haben se denn ... (beide gleichzeitig) Rektor: Hat er denn schon mal gearbeitet, Sie bekommen doch auch so keine der mit seinem Schmarotzerleben? Arbeit ...
Lehrerin:	(wiederholt) Schmarotzerleben. (zieht die Schultern hoch, schüttelt den Kopf und bewegt auch die Lippen, ohne daß sie darauf etwas sagen kann)
Rektor:	Na ja, die Diskussion ist beendet.
Lehrerin:	(wendet sich ab zum Gehen) Na ja!
Sportlehrer:	(kurz angebunden) Tag, Frau Schmidt!
Rektor:	(geht zusammen mit dem Sportlehrer fort) Der haben wir's aber gegeben!

Aus der Diskussion

Nach diesem Spiel wurde an die Klasse die Frage gerichtet: ,,Ihr habt sicher gemerkt, wie schwierig es ist, die Lehrerin zu spielen. Woran liegt das wohl?" Der Schüler, der den Rektor gespielt hat, wird direkt angesprochen: ,,Es fiel dir doch nicht schwer, den Rektor zu spielen. Was glaubst du, wie das kommt?"

Darauf antwortet nun der Schüler unmißverständlich: ,,Na klar, man bringt ja Argumente vor, und die Lehrerin muß ja was dagegen sagen. Sie muß ja den Schüler in Schutz nehmen. Ihn zur Sau machen geht ja leichter, als ihn in Schutz nehmen." Auch der Schüler, der den Turnlehrer gespielt hat, antwortet — direkt angesprochen auf die Frage: ,,Ja, schon, man muß sich ja verteidigen, das ist schon schwerer." Die Schüler haben also eine Vorstellung davon, daß es nicht schwer ist, eine allgemein akzeptierte Position darzustellen. Gleichermaßen haben sie eine Vorstellung davon, daß man in die Verteidigung gerät, wenn man herrschende Positionen angreift. Das ist eben nicht so einfach.

Ein Schüler sagt dazu: ,,Ja, schon, man muß sich ja verteidigen, das ist schon schwerer." Ein anderer Schüler über die eigene Klassenlehrerin: ,,Jetzt weiß ich, warum uns Frau S. niemals in Schutz nimmt."

Der erste Schüler wieder: ,,Weil's zu schwer ist, weil sie diese Arbeit nicht leisten kann oder will. (Die Lehrerin lächelt dazu. Sie bemüht sich tatsächlich sehr für die Schüler.)

Erster Schüler: „Hat Angst vorm Disziplinarverfahren, kenn' ich doch alles ..."
Zweiter Schüler: „Ja, ... die Schüler müssen drunter leiden."
Erster Schüler: „Genau ... fliegen von der Schule."

Nachspielversuch der Szene Rektor/Sportlehrer und Lehrerin in einer anderen Klasse

In einer anderen Klasse wurde gleichfalls die Schulhofszene gespielt, die Lehrerin als Figur aber vergessen. Danach wurde die Szene nun mit der Person der Lehrerin (von einer Schülerin darge-stellt) wiederholt.

Lehrerin: (auf ihre Schüler bezogen) Die schreiben sowas nicht an. Das haben Sie selber (zu Rektor und Turnlehrer) angeschrieben.
Rektor: Was haben wir? Selber angeschrieben?
Lehrerin: Meine Schüler aus meiner Klasse schreiben sowas nicht.
Rektor: Nein? Da kennen Sie ihre Schüler aber reichlich schlecht.
Lehrerin: Die können sich sowas gar nicht einfallen lassen (bezieht das offenbar auf Schnulli, der von sich behauptet, daß er gar nicht schreiben kann, daß er doch ein Ding am Kopf hat)
Rektor: Ach, da können Sie ...
Lehrerin: Wer soll denn diese Idee haben?
Rektor: Alle!
Lehrerin: Alle?
Lehrerin: Und Sie haben ... (gleichzeitig)   Sportlehrer: (laut) Schnulli war das! Schnulli!
Rektor: Und ich werde Ihnen, werde Ihnen ein Disziplinarverfahren anhängen.
Lehrerin: Tun Sie das mal ...
Rektor: Das mach ich!
Lehrerin: Schnulli war das schon gar nicht. Der kann nämlich gar nicht schreiben.
Rektor: Nein?
Lehrerin: Nein.
Rektor: Na ja.
Sportlehrer: (dazwischen, der während der Szene vergeblich versucht, den Spruch abzuwischen) Dann war es eben Thomas!
Lehrerin: Das haben nicht meine Schüler geschrieben. (auf Sportlehrer bezogen) Thomas ... Der ist viel zu anständig, um sowas zu schreiben.
Rektor: Sagen Sie!
Lehrerin: Nee, meine Schüler waren das nicht (andere Mädchen flüstern ihr etwas zu, worauf sie aber nicht eingeht)
Rektor: Ich werde veranlassen, daß sie aus der Schule gewiesen werden.   ...samt der ganzen Klasse.
Lehrerin: Das können Sie nicht.
Rektor: Mach ich.
Lehrerin: Nee, wer soll denn den anderen Unterricht geben?
Rektor: Hahahaha, da haben wir ja noch andere Lehrer!
Lehrerin: Finden Sie da erstmal einen.
Rektor: Das geht bei mir schnell.
Lehrerin: Dann Wiedersehen.
Rektor: Wiedersehen.

Aus der Diskussion

Spielleiter:	Es ist schwer, die Lehrerin zu spielen. Es ist offenbar viel leichter, den Rektor zu spielen und den Sportlehrer. Woran liegt das wohl?
Schülerin:	Die muß (die Lehrerin) ja Antworten geben!
Lehrerin:	Michael, du hast doch auch einen Grund gesagt, warum es schwer ist, die Lehrerin zu spielen.
Schüler:	Na ja, die muß sich rausreden.
Lehrerin:	Stimmt das denn, daß die ihre Schüler rausgeredet hat?
Schülerin:	Ja, sich rausreden aus der ganzen Sache
Lehrerin:	Wer ist auch der Meinung, daß die Lehrerin nicht zugegeben hat, daß es ihre Klasse war?
	(verschiedene Schüler bejahen das)
Spielleiter:	Soweit ich mich erinnnere, hat die Lehrerin zugegeben, daß es ihre Klasse war. Das ist eben die Frage, auf wessen Seite steht denn die Lehrerin?
Schülerin:	Auf der Schülerseite, weil es Recht ist. Der Rektor will dem Charlie einen Schulverweis geben. Das hat doch gar nichts mit der Arbeit da zu tun. ... Der Charlie. nachdem er im Geschäft Mist gebaut hat, sollte eigentlich aus der Schule rausfliegen (andere Schüler: ,,in eine andere Klasse'') Ja, in eine andere Klasse. Da hat sich die Lehrerin mehr für den Charlie eingestellt.
Spielleiter:	Das war eben sehr schwierig für sie, sich auf Charlies Seite zu stellen.
Schülerin:	Ja.

Die Diskussion nach dem Spiel hat also die Funktion, angeschnittene Probleme weiterzuverfolgen, sie zu besprechen und wenn möglich eine Szene neu zu spielen. Es kann in der Diskussion um Probleme der angemessenen Darstellung gehen, der richtigen oder besseren Lösung und ebenso des Verhaltens, das die Schüler im Spiel entwickelt haben.

Lothar Binger

Berufsberatung —
So'n Quatsch, Geheimtips oder Arbeitsmarktanpassung ?

Eigentlich ist er gar kein so schlechter Kerl, der Berufsberater. Nicht übertrieben sympathisch vielleicht, aber letzten Endes auch nur ein armer Hund. Was kann er schließlich dafür, daß er keine Schülerträume in seinem Zettelkasten hat, sondern nur Bäcker und Aushilfen.

Wenn er einen Fehler macht, dann jedenfalls nicht den, daß er die Schüler anbrüllt oder für dumm verkauft. Wenn er einen Fehler macht, dann eher den, daß er nicht fragt, warum er für Hauptschüler nichts besseres im Kasten hat. Daß er stattdessen Fragen stellt, die seine Hilflosigkeit beweisen und den Schülern auch nicht weiter helfen:

,,Sie gehen nach der neunten ab? ''
,,Hast du dich denn schon mal spaßeshalber um 'ne Lehrstelle bemüht? ''
,,Wie wär's denn mit der zehnten Klasse? ''
,,Muß es denn Schlosser sein? ''
,,Machste wenigstens ein Berufspraktikum? ''
,,In vier Monaten ist es soweit. Und was dann? ''
,,Hast du den Test gemacht beim Arbeitsamt? ''

Berufsberatung: Angefangen hat das alles mit einem Spanier namens Juan Huarte. Der hat nämlich — wenn man's genau nimmt — die Berufsberatung erfunden. Im Jahre 1575. Da hat er nämlich angefangen, Köpfe auszumessen nach Länge, Breite und Höhe und nach gewissen Ausbeulungen des Schädels. Dadurch wollte er die Berufswahl der Leute, die zu den Köpfen gehörten, erleichtern. Später — um 1800 — hat es noch einen Franzosen mit Namen Gall gegeben, der auch Begabung und Intelligenz an der Kopfform ablesen wollte.

Das mit dem Köpfe-Messen taugte nicht viel. Aber der eigentliche Grund, weshalb Senor Huarte nach Hilfsmitteln suchte, die eine Berufsfindung erleichtern, ist verständlich: zu seiner Zeit begann die in der feudalen Gesellschaft selbstverständliche Vererbung des Berufes — des Standes — vom Vater auf den Sohn sich aufzulösen. Das Berufsproblem begann (historisch) ein Berufs*wahl*problem zu werden: Wie entscheide ich mich für einen Beruf? Woher bekomme ich Informationen über die gesamte Auswahl an Berufen? Wie erfahre ich, für welchen Beruf ich mich eigne?

Aber erst um 1900 entstanden die ersten Einrichtungen zur Berufsberatung. Seit 1927 ist die Berufsberatung als staatliche Aufgabe gesetzlich verankert — nach dem Gesetz über Arbeitslosenvermittlung und Arbeitslosenversicherung. Heute ist die Bundesanstalt für Arbeitsvermittlung und Arbeitslosenversicherung Träger der Berufsberatung. Sie wird von den Arbeitsämtern durchgeführt und gewährleistet nach dem Arbeitsförderungsgesetz vom 1.7.1969 die ,,Erteilung von Rat und Auskunft in Fragen der Berufswahl einschließlich des Berufswechsels. Sie wird durch die Berufsaufklärung, die Unterrichtung über Förderung der beruflichen Bildung im Einzelfalle und die Vermittlung in berufliche Ausbildungsstellen ergänzt.''

Soweit hört sich die Angelegenheit gar nicht mal so übel an: Wenn man noch keine Arbeit hat oder eine andere haben will, geht man da hin, läßt sich beraten, vermitteln usw. Die Berufswahl erscheint dadurch weniger zufällig. Sie ist weniger durch Gefühlsbeziehungen, durch falsche Vorstellungen von einer bestimmten Berufstätigkeit oder durch Ratschläge von Leuten, die selber nicht den vollen Durchblick haben, bestimmt. ,,Die Vorstellungen über Inhalt und Bedeutung der Berufe in der Fami-

lie, die Auffassung von Verwandten, Bekannten, Freunden, Klassenkameraden usw. über das Anse
hen bestimmter Berufe haben einen großen Einfluß auf die Berufswünsche, -motive und -vorstellur
gen der Schüler." So heißt es in einem Lexikon zum Thema Berufswahl. Und das hat auch so oder
ähnlich jeder schon bei sich selbst erlebt; die meisten Entscheidungen für eine Berufsausbildung wu
den aufgrund von Hinweisen wie diesen gefällt: „Da kannst du 'ne Menge Kohlen machen!", „Da
kannst du 'nen feinen Lenz schieben!", „Der Lehrmeister da ist schwer in Ordnung!" oder auch
„Junge, da lernste was für's Leben!".

Von der Berufsberatung dagegen erwartet man mehr als nur die Erfahrungsberichte aus ein oder
zwei Betrieben und auch mehr als jeder über seinen eigenen Beruf erzählen kann. Schließlich gibt
eine Menge von Berufen, deren Namen man nicht einmal gehört hat bis zur Schulentlassung: 1968
gab es schon 524 Ausbildungsberufe, die Zahl der sogenannten „Erwachsenentätigkeiten" wird he
te auf rund 20 000 geschätzt; die „Deutsche Klassifizierung der Berufe — systematisches und alph
betisches Verzeichnis der Berufsbenennungen" vom August 1961 nannte 13 000 Berufsbezeichnu
gen.

Gegenüber dieser „Riesenauswahl" kann man sich auf unterschiedliche Weise verhalten:

— Entweder wie bei der Losbude: man greift in den Eimer, holt irgendetwas heraus, sagt: „Ist sow
so 'ne Niete!" — und meistens ist es dann auch eine

— oder wie im Supermarkt: man fährt mit dem Wagen rum, läßt sich von Schildern mit der Auf-
schrift „Sonderangebot" oder „Zugreifen" verführen oder von den Propagandistinnen etwas au
schwatzen — und am Ende kann man die Sachen nicht bezahlen oder nur schlecht verdauen

— oder wie in so einem vornehmen Geschäft, wo es noch richtige Verkäufer gibt: man läßt sich be
ten; der Verkäufer überlegt, was den Wünschen am besten entsprechen würde und er denkt nich
in erster Linie ans Geschäft, sondern an die Zufriedenheit des Kunden — jedenfalls wenn er ein
ter Verkäufer ist; man verläßt den Laden, hat vielleicht viel investiert, aber man ist auch mit de
Handel zufrieden.

Leider gibt es solche Verkäufer wesentlich häufiger im Bilderbuch als in der Wirklichkeit. Denn ei
Verkäufer, der sich mehr für die Zufriedenheit der Kunden als für den Umsatz interessiert, bleibt
meistens nicht lange Verkäufer: er fliegt raus.

Leider gibt es auch Berufsberater, die sich in erster Linie für die Berufszufriedenheit ihrer Kunden
einsetzen, viel zu selten. Nicht daß sie sich keine Mühe gäben, das ist es nicht. Aber sie stecken in
der Klemme, „Diener zweier Herren zu sein, vermitteln zu müssen zwischen Angebot und Nachfra
ge, also sowohl der Forderung des ‚Arbeitsmarktes' wie den Wünschen der Berufsanwärter entspre
chen zu sollen" (Kudritzki, zitiert nach M. Henkel, S.92). Die Berufsberatung soll auf Neigung, Ei
nung und „Berufsreife" des Ratsuchenden aufbauen und dabei die jeweilige Arbeitsmarktlage und
die Berufsaussichten, d.h. die Aufnahmekapazität und die ökonomisch-sozialen Chancen der einze
nen Berufe berücksichtigen.

In Wirklichkeit spielt aber die Arbeitsmarktlage immer die größte Rolle: wenn viele freie Lehrstell
und Arbeitsplätze vorhanden sind (wie noch vor 10 Jahren), wird der Berufsberater immer dorthi
vermitteln, wo der größte Bedarf an Arbeitskräften vorhanden ist; wenn nur sehr wenig Lehrstelle
und Arbeitsplätze frei sind (wie in der gegenwärtigen Krise), muß der Berufsberater die Wahlmög-
lichkeiten des Ratsuchenden zwangsläufig noch viel stärker einschränken. Nur in Ausnahmefällen
kann er die Interessen des Arbeitssuchenden mit denen der Arbeitskraftsuchenden verbinden.
In aller Regel ist es seine Aufgabe, die Interessen des Arbeitgebers an den Arbeitnehmer oder
Lehrling zu vermitteln und sie ihm als seine eigenen zu verkaufen. Der Berufsberater ist also
nicht „Diener zweier Herren", sondern fast immer nur Diener eines Herrn: des Kapitalisten
(„Das System, das kapitalistische" — wie immer, wenn es um die tieferen Ursachen gesell-
schaftlicher Erscheinungen geht).

Eine Schülerin berichtet in einem Aufsatz von ihren Erfahrungen bei der Berufsberatung:
„Vor einiger Zeit ging ich zur Berufsberatung. Ich hatte noch keine Vorstellung von meinem Beruf. Ich wußte nur, daß ich weder in ein Büro, noch in eine Arztpraxis wollte. Gerade diese Berufe wollte mir der Berufsberater einreden. Er erläuterte die Aufstiegs- und Verdienst*möglichkeiten*. Mein Vater hörte darauf. Der Berufsberater redete nur von den guten Seiten der Berufe. Der Beruf, der mich interessierte, war der der techn. Zeichnerin. Der Berufsberater meinte, ich hätte keine Chance, angenommen zu werden. Als wir uns nach 1 1/2 Stunden verabschiedeten, hatte ich mindestens 10 Adressen von Büros (Banken) und 10 von Arztpraxen. Von dem Beruf techn. Zeichnerin bekam ich auf mehrfaches Bitten nur eine einzige Adresse. Als technische Zeichnerin bewarb ich mich und bekam sofort eine Zusage ..."

Normalerweise dauert eine Beratung im Arbeitsamt viel länger. In Berlin dauert die ganze Sache 5-6 Stunden und man muß 6-7 Wochen warten, um überhaupt einen Termin zu bekommen. Die Zeit von 5-6 Stunden brauchen die Berufsberater, weil sie sich die Beratung nicht so einfach machen wollen. Sie fragen nicht einfach: „Was kannst du? " und „Was möchtest du werden? ", sondern sie *testen* die Ratsuchenden. Sie testen ihre Fähigkeiten und Interessen mit einer Vielzahl von Geschicklichkeitsprüfungen und Fragebogen. In Berlin werden im Arbeitsamt allein 20 bis 30 verschiedene Verfahren angewandt. Die „Bundesanstalt für Arbeit" hat selbst zwei Tests entwickelt und ist gerade dabei, einen dritten auszuprobieren.

Was heute so imponierend und wissenschaftlich aussieht, hat ja eigentlich mit Senor Huarte angefangen. Ob die modernen Testmethoden aber so viel mehr hergeben als das Köpfe-Vermessen von damals, ist durchaus fraglich. Denn das Problem ist nach wie vor, ob das, was ein Test mißt, tatsächlich etwas mit dem zu tun hat, was später im Beruf geleistet werden muß und kann.

Der Test, an den sich die meisten erinnern, nachdem sie 5 bis 6 Stunden in die Mangel genommen wurden, ist die sogenannte „Drahtbiegeprobe". Dabei muß man 1 mm starken Eisendraht nach einer Vorlage zurechtbiegen. Dieser Test wurde schon 1920 entwickelt. Ein Psychologe namens Lienert hat den Test für die Verwendung im Arbeitsamt vorbereitet. Er sagt, daß das Verfahren das sogenannte „Handgeschick" mißt, „das besonders in metallverarbeitenden Berufen eine bedeutsame Rolle spielt." Es ist klar, daß jemand, der den Draht gut biegt, noch lange kein guter Schlosser oder Dreher werden muß, und umgekehrt ist noch lange nicht sicher, daß ein anderer, der den Draht schlecht biegt, kein guter Schlosser oder Dreher werden könnte. Übrigens haut die Sache ja auch schon allein deshalb nicht mehr hin, weil sich die Anforderungen an die metallverarbeitenden Berufe seit der Erfindung des Tests im Jahre 1920 doch wohl ein bißchen verändert haben werden.

Es ist also in jedem Fall schwierig, den richtigen Beruf zu finden, sowohl dann, wenn man nur auf den Rat der Familie, der Nachbarn, Bekannten und Freunde hört, als auch dann, wenn man sich an die Fachleute im Arbeitsamt wendet, die sich selbst auch nur nach dem Angebot auf dem Arbeitsmarkt richten können und deren Tests so prima auch wieder nicht funktionieren.

Kein Wunder also, daß selbst in Zeiten, wenn der Berufsberater viel Auswahl zu bieten hat, eine Menge der Leute, die eine Ausbildung abgeschlossen haben, nach der Lehre eine andere Tätigkeit ausüben:

1964 waren es
47 % der Industrie- und Verwaltungskaufleute und -sekretäre
48 % der Groß-und Einzelhändler, Ein- und Verkäufer, Verkaufshelfer
50 % der Schlosser (außer Stahlbauschlosser)

58 % der Schneider
59 % der Kraftfahrzeug-Handwerker und -Instandsetzer
63 % der Bäcker
64 % der Landwirte

(Angaben nach Lutz/Winterhager, S. 134 f.)

Kein Wunder auch, daß in Zeiten, wenn der Berufsberater wenig Auswahl zu bieten hat — wie es im Stück gezeigt wird — die Anforderungen an die Bewerber steigen.

Ein Psychologe mit Namen Hofstätter hat diese Situation 1957 — also zur Zeit der ,,Vollbeschäftigung" — so beschrieben: ,,Hat man die Möglichkeit, aus einem großen Reservoir von Arbeitskräften zu schöpfen, so wird man natürlich die vorhandenen Stellen mit den auf Grund ihrer Prüfung am geeignetsten scheinenden Bewerbern besetzen. Das sog. Verfahren der ,Auswahl' versagt aber, wenn die Zahl der zu besetzenden Stellen ungefähr der Anzahl der vorhandenen Bewerber entspricht, d.h. im Falle der *Vollbeschäftigung* einer Bevölkerung. Nunmehr geht es um die optimale ,*Placierung'*, die auch den Fähigkeiten der in mancher Hinsicht weniger geeigneten Kandidaten Rechnung trägt."

Beim ersten Lesen scheint es so, als ob es nur darum ginge, ,,den richtigen Mann an die richtige Stelle" zu setzen — das wäre ja gar nicht so verkehrt. Sieht man aber genauer hin, so stellt man fest, daß die Arbeitsweise des Berufsberaters am stärksten von der Zahl der angebotenen Stellen und erst in zweiter Linie von Fähigkeiten und Interessen der Bewerber bestimmt wird. Vielleicht könntet ihr die Feststellung des Psychologen Hofstätter auf diesem Hintergrund einmal diskutieren.

Die Probleme beginnen übrigens auch schon vorher, nämlich da, wo die Schule — und die verschiedensten Typen von Schule — die Fähigkeiten herstellt, die der Berufsberater festzustellen hat. Was hat die Schule eigentlich mit der Berufsberatung zu tun?

Schule und Berufsberatung arbeiten zusammen. So wurde es am 5.2.1971 in sogenannten ,,Rahmenrichtlinien" zwischen der ,,Bundesanstalt für Arbeit" und der ,,Ständigen Konferenz der Kultusminister der Länder (KMK)" vereinbart. Die Zusammenarbeit bezieht sich auf Einführungsvorträge der Berufsberater, auf die Durchführung der Berufsberatung selbst und auf das Unterrichtsfach ,,Arbeitslehre". Im Fach ,,Arbeitslehre" sind Betriebserkundungen und Betriebspraktika vorgesehen. Aber dabei geht gar nicht alles so glatt, das zeigen auch die Beispiele im Stück. ,,Gegen das Betriebspraktikum ist überhaupt nichts zu sagen. Im Prinzip jedenfalls nicht," sagt Frau Schmidt im Stück — und wo sie Recht hat, hat sie Recht. Der Nachteil ist bloß, daß man sich den Praktikumsplatz leider nicht aussuchen kann, weil es viel zu wenig davon gibt. Ebenso kann man häufig den Betrieb gar nicht erst richtig kennenlernen, weil man zu einseitig beschäftigt wird. Es ist deshalb wichtig für die Schule als Institution und auch für Schüler und Lehrer in dieser Institution, mehr, bessere und interessantere Praktikumsplätze zu finden und wo es nötig ist, auch zu erkämpfen.

WAS MAN NOCH ALLES MACHEN KANN

So viel wie möglich über alle Berufe in Erfahrung zu bringen!
Alle Leute fragen, was sie in ihrem Beruf machen!
Alle Arbeitsplätze im Stadtteil abklappern und zuschauen!
Selbständig auskundschaften, wo es noch Praktikumsplätze gibt!
Im Jugendfreizeitheim oder Jugendzentrum Kontakt zu einer
Lehrlingsgruppe suchen und deren Erfahrungen anhören!

Überlegen, welcher Beruf am nächsten an die eigenen Interessen,
Hobbys usw. herankommen könnte!
Den Schulabschluß auf jeden Fall mitnehmen!
Sich auf den Eignungstest vorbereiten! Alle Schüler ausfragen, die
schon dort waren!
Vor dem Test ausschlafen oder einen Spaziergang machen!
Die schwierigsten Fragen und Aufgaben hinterher mit denen besprechen,
die noch zum Test müssen!

BÜCHER UND MATERIALIEN - NICHT NUR FÜR LEHRER

Zur Berufsberatung:

H. BOGEN:	Psychologische Grundlegung der praktischen Berufsberatung, Langensalza 1927.
A. HARTWIG:	Die Entwicklung der öffentlichen Berufsberatung in Deutschland, Düsseldorf 1948.
K. STRATMANN:	Diskussion und Ansätze der öffentlichen Berufsberatung im 18. Jahrhundert, in: Die deutsche Berufs- und Fachschule 12/1966.
O. UHLIG:	Arbeit amtlich angeboten, Stuttgart 1970.
U. WITTMER:	Berufsberatung, Stuttgart 1970.

Zur Arbeitslehre / zum Berufspraktikum:

B. BUSCH:	Zur politischen Problematik der Arbeitslehre, West-Berlin 1970.
W. CHRISTIAN u.a.:	Polytechnik in der Bundesrepublik Deutschland? Beiträge zur Kritik der ,Arbeitslehre', Frankfurt/M. 1972
M. DEUTSCHMANN:	Qualifikation und Arbeit, West-Berlin 1974
S. GENSIOR:	Arbeitslehre – Ein erneuter Versuch der ideologischen Integration der Arbeitskraft, West-Berlin 1971.
H. HEISE:	Ausbildung von Arbeitskräften im Kapitalismus – Zur Kategorie des Arbeitsvermögens, West-Berlin 1975.
M. HENKEL:	Die Einführung der Arbeitslehre in ausgewählten Bundesländern unter besonderer Berücksichtigung des Zusammenhangs von Bildungsreform und Wirtschaftswachstum, West-Berlin 1971.
G. KUDRITZKY:	Zur theoretischen Begründung des Berufspraktikums im Abschlußjahr der Volksschule, in: Schule und Arbeitswelt, Auswahl A2, Hannover 1963.
H. KUHLMANN:	Die Reform der Lehrlingsausbildung am Beispiel der Stufenausbildung in der Metallindustrie, West-Berlin 1971
LUTZ/WINTERHAGER:	Zur Situation der Lehrlingsausbildung, Gutachten und Studien der Bildungskommission beim Deutschen Bildungsrat, Bd. 11, Stuttgart 1970.
W. VOELMY:	Arbeitslehreunterricht in den Hauptschulen, 12 Bände, 1970.

Die Mehrzahl der genannten Bücher stammen aus der Reihe ,,Texte zur Arbeitslehre'' des West-Berliner Rossa-Verlages, die sich vor allem der Auseinandersetzung mit der sog. ,,Berliner Arbeitslehre-Konzeption'' widmet. Die Bücher von M. Deutschmann und H. Heise haben nur indirekt mit Arbeitslehre zu tun, können jedoch zur Begriffserklärung beitragen.

Wolfgang Heckmann

Schüler berichten über ihr Berufspraktikum

Im Stück wird das Berufspraktikum als eine ziemlich miese Sache beschrieben: Charlie und Doris verrichten eine eintönige Arbeit, sie lernen nichts dabei, nur der Chef hat den Vorteil, er hat vorübergehend zwei billige Arbeitskräfte gewonnen. Im Stück wird aber auch darauf hingewiesen, daß das Berufspraktikum einmal als eine sinnvolle Einrichtung gedacht war.

Wir haben hier auszugsweise Arbeitsberichte von Schülern einer 9. Klasse abgedruckt, die gerade ein Berufspraktikum hinter sich gebracht und dabei ganz verschiedene Erfahrungen gemacht haben.

Wir haben die Berichte so ausgewählt, daß sie euch jeweils Einblick in einen typischen Praktikumsablauf geben können. Uns ist beim Durchlesen der Berichte aufgefallen, daß es — grob gesagt — drei verschiedene Arten von Praktikum gibt:

Bei der ersten Art von Berufspraktikum hat der Schüler engen Kontakt zu einem Kollegen. Sie arbeiten gemeinsam an einem Arbeitsplatz. Der Schüler lernt nicht nur die Tätigkeiten des Kollegen kennen, sondern auch dessen Sorgen und Nöte. Der Kollege zeigt dem Schüler Arbeiten, die neu für ihn sind. In diesen Arbeiten darf er sich dann auch üben und sie selbständig ausführen. Bei dieser Art von Berufspraktikum lernt der Schüler am meisten, und er hat am meisten Spaß, weil zwischen ihm und dem Kollegen ein echter Austausch stattfindet: der Kollege hat eine Hilfe bei seiner Arbeit, und der Schüler lernt etwas, das ihm nützt. (Berichte 1-6)

In einer zweiten Art von Berufspraktikum müssen die Schüler eine ganze Menge Arbeiten verrichten, die sie schon kennen und können(zum Beispiel Frühstück bereiten, Kinder beruhigen, Nachtische säubern, ausfegen). Sie begleiten keine bestimmte Person durch deren Arbeitstag. Jemand von der Personalleitung weist ihnen die Arbeit zu. In regelmäßigen Abständen werden die Schüler zusammengeholt und es werden ihnen Ratschläge, Weisungen, Kenntnisse vermittelt, die für sie neu und nützlich sein können. (Berichte 7 u. 8)

Die dritte Art von Berufspraktikum ist die unbefriedigendste. In wenigen Stunden haben die Schüler ein paar Handgriffe gelernt, die sie dann drei Wochen lang immer wieder anwenden müssen. (Bericht 9)

Diese Berichte regen euch bestimmt zur Diskussion an. Fragen wie: was nützt mir dieses Praktikum? kann ich dabei etwas Neues lernen? darf ich etwas, das ich neu gelernt habe, auch ausprobieren und üben? muß ich immer die gleiche eintönige Arbeit verrichten? erfahre ich auch etwas über die sozialen Beziehungen im Betrieb? werde ich auch einmal herumgeführt? und so weiter können dann helfen, eine Antwort auf die übergeordnete Frage nach dem *Sinn* eines Berufspraktikums zu erhalten.

Um eine kritische Einstellung gegenüber der Durchführung eines Berufspraktikums zu bekommen, müßtet ihr euch vor Augen halten, daß alle Schüler zunächst einmal *gern* aus der Schule raus sind (selbst bei stupidester Arbeit, siehe Seite 49). Das wird verständlich, wenn ihr euch klar macht, daß ihr hier das erste Mal einen gesellschaftlichen Zusammenhang erlebt (Produktionsstätte), den ihr in der Schule nur stückchenweise und auseinandergerissen in Form von Unterrichtseinheiten dargeboten bekommt. Ganz zu schweigen davon, daß ihr nun endlich einmal etwas *praktisch* machen könnt.

Dienstag den 2. 9.

Um 8 Uhr bei VW Pusch. Umgezogen und in die Werkstatt gegangen. Herr L——— hat gerade einen Wagen in Arbeit gehabt, der zum TÜV-Durchsicht mußte. Danach hatte er noch einen weiteren Wagen für die TÜV-Durchsicht. Um ½ 10 Uhr Pause, ½ Stunde.

Bei den Wagen wurde Ölwechsel und Motorwäsche gemacht. Ich konnte mehr mals ein paar Schrauben festziehen, die ster ~~bremsen~~ aber überprüfte. Beim nächsten Wagen mußten die Bremsen überprüfte werden. Bei der Kontrollfahrt konnte ich mitfahren. Als wir in der Werkstatt ankamen, war für mich Feierabend.

Tagesbericht vom 4.9.75

Heute mußte ich wieder um 7⁰⁰ Uhr anfangen. Als ich kam,sollte
ich gleich mit Frühstück austeilen. Danach habe ich wieder bei
Blasenspülungen zugesehen. Danach habe ich geputzt. Als die Tabletten
ausgeteilt wurden, war ich auch dabei, Sch.Gertrud hat mir
erklärt,wie man die Tabletten dosiert. Dann kam auch schon das
Mittagessen. Danach wurden die Fiebertermometer ausgeteilt,
ich ging dann aber.

Ein Mensch, mit dem ich mich verstand

Im Kindergarten waren eigentlich mehrere Menschen,
mit denen ich mich verstand, aber am meisten
verstand ich mich mit Brigitte.
Zu Brigitte konnte ich mit jedem kleinen
Problem kommen, die ich mit den Kindern hatte.
Ebenfalls konnte ich sie ausquetschen mit
Fragen nach der Ausbildungen einer Kindergärtnerin,
und sie hat mir auch alles erzählt, was damit
~~zusammenhängt~~ zusammenhängt. Zur
Ausbildung gehört z.B. eine 3 Monatige Praktische
Arbeit in einem Kinderheim oder Kindergarten und
eine zusätzliches 1 jähriges Praktikum im Kindergarten.

Außer diesen Ausbildungen hat Brigitte auch noch
ein Haushaltsjahr mit machen müssen, und nach
2 jähriger Ausbildung konnte sie dann im Kindergarten
anfangen zu arbeiten. Im Kindergarten Zehlendorf Alt-Schönow
arbeitet sie nun schon seit 2 Jahren, und es tut
ihr immer wieder leid, wenn sie die Kinder, die
in die Schule kommen verabschieden muss. Ich
habe vorhin schon angedeutet, daß ich auch
manchmal wegen eines kleinen Problems mit
Kindern zu ihr gehe. Da war letzte Woche einmal
so ein kleines Problem mit dem kleinen Frank.
Nun dieser Junge hing bei mir den ganzen

Bericht vom 4.3.1975

Da ich nun wußte, wie alles in der
Firma zuging, ging alles sehr schnell,
und ich war in 10 Minuten" umgezogen und lief freudestrahlend zu
meinem Gesellen. Er hatte in=
zwischen die Bremsklötzer geholt
und ich ließ den Wagen hoch. (411c
Automatik) Als das geschehen war,
schraubten wir die Räder ab.
Dann nahm er die Sicherungen
raus und die darunter liegende
Feder. Dann konnte ich die Brems
klötzer bequem rausnehmen.

Bericht vom 8.3.1975

An diesem Tag ist alles schief
gelaufen. Als ich dort an kam,
sagte mir mein Geselle, daß
wir den Auspufftopf vergessen
hatten festzuschrauben. Ich ging
mich dann schnell umziehen,
um ihm zu helfen. Dann mußte
mein Geselle zum Chef, der
ihn tüchtig anmeckerte, weil
er das vergessen hatte. Nach
dem wir das Auto repariert
hatten, kam auch noch der Ge-
schäftsführer. Dieser wischte ihm
wiederum eins aus

Bericht vom 16.9.1975.

An diesem Tag war es, finde ich der schönste Tag. Heute durfte ich alles alleine machen. Ich machte schon um 8⁴⁵ Uhr Frühstück. Denn jetzt kam er mein Geselle. Er teilte mir mit, das wir bei einem Jeep dem Motor ausbauen müssen. Als das fertig war, lobte er mich weil ich heute so gut mitgeholfen hatte. Jedoch das Motor einbauen dauerte 4 Stunden. Ich ging heute nicht mit essen. Ich schraubte die Motorbolzen fest. Diese Taten beim Jeep über dem (Vergas) Anlasser und auf der anderen Seite über dem Vorwärmschlauch. Ihwer gerade damit fertig geworden, da kam der Meister und lobte mich auch, weil ich das alleine machte. Da kam auch so schon mein Geselle, der sich freute. Er sagte mir, ich sei sehr gelehrig und höre gut zu. Danach erzählte er mir auch, wie oft ich schon alles gemacht hatte.

Wochenbericht

Als ich am 15.9. um sieben Uhr auf meiner Station eintraf, zog ich mir meinen Kittel an und fragte die Stationsschwester, was zu machen wäre. Sie schickte mich in das Kinderzimmer, wo ich Fieber messen und Betten machen sollte. Danach ließ ich für eine Patientin Badewasser in die Wanne und goß etwas Kamillenextrakt hinein. Gleich darauf rief man mich um eine Patientin zum Röntgen zu fahren und eine andere abzuholen. Als ich wiederkam, half ich das Frühstück auszuteilen. Wenn alle Patienten bekommen haben, wird der Wagen abgeräumt und wir frühstücken auch. Der Frühstückstisch war abgeräumt und ich fing an, die Zimmer zu putzen. Eigentlich müssen dann immer das Waschbecken, der Spiegel, die Kacheln, die Nachttische, die Schränke, die Fensterbretter und die Betten gesäubert werden, aber ich lasse dann immer etwas aus Versehen aus, denn sonst würde man nie fertig werden. Und schließlich bin ich ja keine Putzfrau. Danach holte ich O P Hemden aus der Wäscherei. Nachdem ich so lange auf den Beinen war, gab es nichts mehr zu tun. Da ich mich nicht um Arbeit reiße, ging ich ins Kinderzimmer und spielte mit einem Mädchen Mühle, Dame und Mensch ärgere dich nicht. Zur Mittagszeit ging ich dann das Essen aus der Großküche holen, dort ist immer ein furchtbares Gedränge, und man muß aufpassen, daß man das richtige Essen mitnimmt und nicht die Hälft vergißt. Als ich dann endlich den großen Fahrstuhl erwischte, der um diese Zeit immer besetzt ist, war ich froh endlich aus diesem Gedränge raus zu sein. Das Essen wurde schnell warm gemacht und ausgeteilt. Zum Schluß aßen wir auch noch etwas, und ich durfte nach Hause gehen.

Tagesbericht vom   2.3.1945

Heute Morgen um 8⁰⁰ Uhr waren wir alle
vollzählig. Zuerst haben wir von 8¹⁵ Uhr
bis 9³⁰ Uhr Maschine schreiben geübt.
Nach dem Frühstück um 10⁰⁰ Uhr haben wir
über Anleitung zur Benutzung des Postscheckkontos gesprochen. Dann haben wir einige
Muster ausgefüllt. Und um 12⁰⁰ Uhr nach der
Mittagspause haben wir noch einmal mit
der Rechenmaschine geübt und haben
Wettschreiben gemacht. Feierabend war um
13¹⁵ Uhr.

                   3.5.1945

Um 8⁰⁰ Uhr wie immer Beginn.
Erst Maschine schreiben bis 9³⁰ Uhr.
Um 10⁰⁰ Uhr Wiederholung des gestern
durchgenommenen Stoffes. (Eröffnung eines
Postscheckkontos.) Ab 11³⁰ Uhr Fingerübungen
auf der Addiermaschine (blind Maschineschreiben).
Nach der Mittagspause um 12⁰⁰ Uhr Besprechen
des nächsten Thema's Schluß um 13¹⁵ Uhr.

Montag, 2. September
Schalterdosen eingehängt
Pause
Schalterdosen eingehängt
Pause
Schalterdosen eingehängt

Dienstag, 3. September
wie oben

Mittwoch, 4. September
wie oben

Donnerstag, 5. September
wie oben

Freitag, 6. September
Schalterdosen eingehängt
Pause
Loch für Abzweigdose gestemmt
Pause
Loch zu ende gestemmt
und die Abzweigdose eingesetzt

Montag, 9. September
Zu weit herausstehende Schalterdosen
herausgestemmt und tiefer eingesetzt
Pause
Vergessene Schalterdosen eingesetzt
Pause
Vergessene Schalterdosen eingesetzt

Dienstag, 10. September
wie Montag

Mittwoch, 11. September
Alarmdraht genagelt
Pause
Alarmdraht genagelt
Pause
Alarmdraht genagelt

Donnerstag, 12. September
wie oben

Freitag, 13. September
wie oben

Montag, 16. September
Dem Boden zu nahe Schalterdosen
ausgestemmt und höher eingesetzt
Pause
gleiche Arbeit wie am Vormittag
Pause

Dienstag, 17. September
gleiche Arbeit wie am Vortag

Mittwoch, 18. September
wie oben

Donnerstag, 19. September
Schalterdosendraht absoliert
Pause
Schalterdosen mit Papier gefüllt
Pause
Schalterdosen mit Papier gefüllt

Schüler erzählen von einem Vorfall während ihres Berufspraktikums

Es handelt sich um eine Zusammenfassung und kurze Kommentierung eines Interviews mit einer Berliner Hauptschüler-Gruppe.

Im Stück preist Charlie während seines Berufspraktikums Ware falsch aus. Das führt zu seiner sofortigen Entlassung, zur (angedrohten) Versetzung in eine andere Klasse und zum Rausschmiß zu Hause.

In dem nachfolgenden Tonbandprotokoll berichten Schüler sehr genau über einen ähnlichen Vorfall, der sich während ihres Berufspraktikums in einem Berliner Bekleidungshaus zugetragen hat.

Wir haben dieses Tonbandprotokoll aus verschiedenden Gründen hier abgedruckt:

1. weil wir meinen, daß so ein Verhalten leitender Angestellter einer breiteren Öffentlichkeit bekanntgegeben werden sollte,
2. für euch als Diskussionsmaterial, wenn ihr euch auf ein Berufspraktikum vorbereitet,
3. um einen Vergleich anstellen zu können zwischen dem Vorfall, wie er im Theater gezeigt wird und dem, wie ihn diese Schüler-Gruppe erlebt hat.

Ein Vergleich lohnt sich. Das Theater schärft den Blick für solche Vorfälle, wie ihr sie selber erleben könnt. Im Theater werden Einzelheiten weggelassen (die man sich dazu denken kann). Dadurch kommt das Wesentliche der Handlungen besser heraus. (Vergleicht zum Beispiel einmal die Reaktion der Verkäuferin bei Kaufheim und die der Verkäuferin im Bekleidungshaus). Außerdem zeigt euch das Theater, was ihr weiter tun könnt. Ihr könnt gemeinsam beraten und planen, wie man sich bei einem solchen Vorfall wehrt (Mitschüler mobilisieren, Eltern, Lehrer überzeugen, an die Öffentlichkeit wenden).

Die Schülergruppe, die nachfolgend berichtet, hat sich im Bekleidungshaus noch gewehrt und sich dann doch alles gefallen lassen. Als wir sie jedoch baten, für uns dieses Interview zu machen, sagten sie sofort: „Klar, nischt wie rin in die Zeitung!" Ist das nicht ein Anfang?

Bei der etwas schwierigen Suche nach geeigneten Praktikantenstellen für ihre Schüler fanden die Lehrer von zwei neunten Hauptschulklassen großes Entgegenkommen bei der Verkaufsleitung eines Berliner Bekleidungshauses: „Bringen Sie mal her, unbegrenzt, wir haben ja mehrere Filialen!"

So traten die beiden Schülergruppen von je 14 und 7 Schülern in zwei verschiedenen Filialen ihr Praktikum an.

Nachdem die Verkaufsleiter die Schüler auf Verhaltensmaßregeln innerhalb des Betriebes aufmerksam gemacht hatten, wurden die Schüler verschiedenen Abteilungen zugewiesen. Dort gab es „Bezugspersonen", die die Schüler zu bestimmten Arbeiten einteilten.

Die Aussagen über ihre Tätigkeit ergeben kein einheitliches Bild. Spricht Wolfgang davon, daß er tagtäglich nur Stangen wachsen, die Kleidung nach Größe sortieren oder Kartons zerschneiden durfte, so berichten Michael und Andreas von Arbeiten wie Hosen nach Farben sortieren, Anzüge ausbürsten, Kleider abstecken und in die Reserve bringen, Preisschilder anheften und sogar verkaufen. Offensichtlich ist es von den Bezugspersonen ab, wie bereitwillig sie den Schülern eine Arbeit überließen, denn „einige hatten Angst, wir könnten (dem Käufer) was Falsches erzählen oder uns verlesen, und dann würden sie nachher den Ärger kriegen und dafür gerade stehen müssen."

Wolfgang beklagt sich: „Den ersten Tag war der Typ da — also das war der Verkaufsleiter von der Herrenabteilung bei mir — das hieß bei mir Bezugsperson, zu dem könnte ich kommen, wenn ich irgendwie Sorgen habe. Den ersten Tag war er zwar ganz nett gewesen — wie soll es auch anders sein — wenn ich gefragt habe, was ich machen soll, hat er immer bloß eine Antwort gehabt. Sehen Sie doch mal den Ständer nach Größen durch, das war immer das gleiche, nie hat er mal gesagt, machen Sie doch mal was anderes, oder er hat mich zu jemand anders geschickt, später, da war die Lage schon ein bißchen anders, ich hab zwar die Arbeit gemacht, die sie mir gegeben haben, also es war ja immer das gleiche praktisch, hab aber dann so nach und nach ein immer blöderes Gesicht gezogen, da haben mich die Verkäufer — zum Teil jedenfalls — haben sie mich ganz schön angemacht, haben mir in einem nicht so guten Ton gesagt, wat denn, wat willste denn, gefällt dir das nich hier, als wenn sie sagen wollten, kannst ja gehen, wenn es dir nich gefällt ..."

Die Meinungen darüber, ob man verkaufen durfte, gehen weit auseinander: Zum einen sind sich die Schüler nicht einig darüber, ob das Zettelabreißen schon verkaufen bedeutet oder erst das Beraten und Anprobieren. Zum anderen scheinen einige Schüler zu Übertreibungen zu neigen, wenn sie von ihren Verkaufsmöglichkeiten berichten. Der Lehrer jedenfalls berichtigt seine Schüler: ,,Vom ersten bis zum letzten Tag habe ich von jedem, der bei ... gearbeitet hat, gehört, daß sie sich darüber beschwert haben, daß sie nicht verkaufen durften." Warum gehen hier die Schüler etwas ungenau mit der Wahrheit um? Sicher war der Wunsch zu verkaufen so stark, daß sich die Schüler über die Tatsache, daß sie es nicht durften, etwas hinwegmogeln wollten.

Dennoch findet der überwiegende Teil der Schüler dieses Praktikum interessanter als Schule: ,,Hat Spaß gemacht" ... ,,war mal was anderes" ... ist ihr Urteil.

Nach eineinhalb Wochen — drei Wochen dauert ein Praktikum — ereignete sich ein Zwischenfall, der die Herren von der Verkaufsleitung veranlaßte, alle Schüler zu entlassen. Michael berichtet: ,, ... wir haben erfahren, daß wir um 11 Uhr oben sein sollen im Schulungsraum, dann sind wir alle nach oben gegangen, da hatten wir mit Herrn S. eine Diskussion, ungefähr 'ne Viertelstunde lang, da kam auf einmal Herr D. rein, das ist der Leiter von dem Hause, und der hat gesagt, Kalle möchte rauskommen, und da sind die dann draußen gewesen die ganze Zeit und wir haben uns überlegt, was sein könnte ... keener wußte ja von wat, jedenfalls Herr D. ist dann selber reingekommen und hat Herrn S. und Angelika rausgeholt, und dann ist ein anderer vom Haus bei uns dringeblieben, daß wir nich rauskommen ..."

,, ...und wir haben uns also im Schulungsraum Gedanken gemacht, wat passiert sein könnte, haben natürlich schon irgendwie geahnt, daß vielleicht irgendetwas weg ist oder so — daß die jetzt dran sind ... jedenfalls haben wir dann nachher erfahren, also Herr D. kam rein und sagt zu den Mädchen, sie sollen alle rauskommen, dann sind sie alle in ihre Umkleidekabine gegangen und mußten — wir hatten jeder so ein Schließfach, wo wir unsere Sachen reingetan haben — mußten sie alle ihre Schließfächer öffnen, und da hat er dann so 'ne Kontrolle gemacht und so weiter, und da haben die da drinnen diskutiert und in der Zeit sind wir denn auch mit Herrn D. bei uns reingegangen in die Jungensumkleideräume und mußten unsere Schließfächer auch aufmachen, und da hat Andreas noch 'ne Jacke drin gehabt, und ich hab'ne Jacke von mir, also 'ne Eigentumsjacke, gehabt, und da hat er gesagt, woher die is, da hat er gesagt, is seine, hat er zuerst nich geglaubt, hat er sich die Jacke erst mal angeguckt, ob vielleicht ein Schild dran is oder so, dann hat er sie auf den Bügel gehängt, dann sind wir wieder zurückgegangen und haben erfahren, daß Angelika, Karl-Heinz, also beim Durchgehen haben wir es erfahren erst, daß er angestiftet haben soll, daß Angelika zu ihm gesagt hat, daß er 'ne Bluse, sie nach hinten bringen soll, weil Angelika sie haben wollte oder so ungefähr ..."

Daß Karl-Heinz eine Bluse gestohlen haben sollte, erfuhren die Schüler zu diesem Zeitpunkt nicht von der Personalabteilung, sondern von anderen, die es ihnen zugerufen haben.

Kalle: ,,Also es war Vormittag — so ungefähr um 10 — kurz bevor wir hochgegangen sind. Also ich bin jedenfalls hingegangen, wie Angelika gesagt hat, ich soll sie ihr nach hinten bringen, weil sie sie schön findet, und da hab ich sie vom Bügel genommen und wollt sie mir unter den Pullover stecken, und dabei fühlte ich mich irgendwie beobachtet, und da habe ich sie wieder zurückgehängt.

Frage: Von wem fühltest du dich beobachtet?
Kalle: Von einer Verkäuferin. Dann hab ich sie wieder ausgepackt, hab 'nen Bügel gesucht ...
Frage: Du hattest die Bluse also unter deinen Pullover gesteckt?
Kalle: Nee, nich ganz! Hab sie noch nich ganz unten gehabt!

Frage:	Biste also auch gar nicht weggegangen?
Kalle:	Nee, bin ich nich, bin ich nich, bin da an der Ecke immer geblieben.
Frage:	Hattest du die Bluse denn schon versteckt?
Kalle:	Nee, ich hatte sie so ein bißchen zusammengeknittert, dann bin ich ungefähr — also das war hier so 'ne Ecke — und bin vielleicht grademal so bis an die Ecke gegangen — da hab ich sie gesehen, bin ich wieder zurückgegangen und hab sie wieder hingehängt.
Frage:	Ein paar Schritte bist du mit der Bluse weggegangen?
Kalle:	Ja, ungefähr zwei oder drei, bloß ein ganz kleenes Stück.
Frage:	Und da hat die Verkäuferin dich mit der Bluse gesehen?
Kalle:	Ja, als ich weggegangen bin.
Frage:	Und hat die Verkäuferin dann gleich Alarm geschlagen?
Kalle:	Nee, ich habe sie dann hingehängt, dann bin ich nach oben in den Schulungsraum gegangen.
Michael:	Durch die Verkäuferin is die Sache dann rausgekommen, die muß dem Herrn D. Bescheid gesagt haben, und dann kam alles ins Rollen.
Frage:	Und wann seid ihr dann zusammengetrommelt worden?
Michael:	Um halb 11 haben sie uns Bescheid gesagt, daß wir um 11 alle im Schulungsraum sein sollen, weil wir da 'ne Diskussion hatten, jede Woche so fast — jedenfalls sind wir um 11 dann alle oben gewesen — wir alle wußten ja von nicht ...
Frage:	Und dir hatte auch niemand Bescheid gesagt? Für dich kam die Sache auch völlig überraschend?
Kalle:	Jaja. Bin ich erst mal — also sind wir erst mal zu Dings gegangen, also hat er gesagt, du sollst 'ne Bluse geklaut haben, hab ich gesagt, nee, ich wollte sie gar nich klaun, da hat er gesagt, doch, — sind wir zur Jungenkabine gegangen, aber nur ich und der Dingsda (Zwischenruf: D.) mit noch einem von der Verkaufsleitung, und sind wir jedenfalls reingegangen, und da hat er mich gefragt, ob ich ein Schließfach habe, habe ich gesagt, nein, ich habe kein Schließfach, da hat er gesagt, doch, du mußt ein Schließfach haben, habe ich gesagt, nee, ich hab aber keins, weil ich einem anderen den Schlüssel gegeben habe, weil ich es nich brauchte — mußte ich noch meine Jacke zeigen, hat er mir alle Taschen durchkramt, dann sind wir nach unten gegangen, und dann hat er gezeigt, welche Bluse ich da wegnehmen wollte, also stehlen wollte ...
Michael:	War es die Bluse, die du gehabt hast?
Kalle:	Jaja, die war es.

Kalle hatte dann versucht zu leugnen. Als ihm dann aber mit der Polizei gedroht wurde, gab er es schließlich zu.

Frage:	Und wie kam es dann nun zu eurer Entlassung?
Michael:	Na, das kam so: Also wir hatten uns nach der Kontrolle alle wieder im Schulungsraum versammelt. Angelika und Karl-Heinz waren wieder bei uns. Die haben uns das dann erzählt, und wir konnten uns gar nicht vorstellen, daß er 'ne Bluse klaun wollte mit Angelika. Jetzt haben wir uns für ihn natürlich eingesetzt, und wir waren alle vollzählig — vom Personal war keiner drin — und da haben wir natürlich ganz schön laut — ab und zu ist da ein Ausdruck gefallen (Zwischenruf: Einmal!) ... einmal, Scheißladen haben wir gesagt, jedenfalls haben wir darüber diskutiert, daß wir uns nicht vorstellen können, daß er es is, und da haben sie gesagt, daß er vielleicht rausfliegt aus der Filiale mit Angelika und da habe ich gesagt, daß wir dann alle gehen, und da haben wir abgestimmt, wer gehen will, wer nich: 11 waren dafür, 3 Enthaltung, jedenfalls haben wir so laut gesprochen und bei .... sind die Wände so dünn, daß man nebenan alles gehört hat, jedenfalls kam Herr D. rein und hat gesagt, ihr habt uns die Entscheidung schon abgenommen, ihr dürft alle gehen — ach nee, ich hatte gesagt, macht doch mal die Tür zu, vielleicht stehn die draußen,

in dem Moment kamen die dann gerade rein, und dann haben sie gesagt, Sie haben uns
die Entscheidung schon abgenommen, daß wir dann alle ruhig gehen können und so —
haben wir gesagt, haben Sie das alles an der Tür gehört, haben sie gesagt, nein, nein, wir
haben nichts gehört, aber vorher haben sie gesagt, wir haben alles schon mitgehört, also
ihr habt uns die Entscheidung schon abgenommen, und hinterher haben sie es wieder abge-
stritten.

Thomas: Die Wände bei .... sind so hellhörig!

Michael: Jedenfalls haben wir da rumgemeckert, und da sind wir auf den Weg Richtung Fahrstuhl
gegangen, und da habe ich gesagt, ist ja 'ne Schweinerei, daß wir jetzt alle rausfliegen, die
haben sich gar nichts draus gemacht, und da wollten wir mit dem Fahrstuhl runterfahren,
da haben sie gesagt, nee, Sie laufen, bitte, durften wir nicht mit dem Fahrstuhl fahren, um
halb 12 war die ganze Sache zu Ende, daß wir gehen sollten, und da habe ich gesagt, jetzt
werden wir erst mal essen gehen, und da hat Herr D. gesagt, nee, Essen gibt's für euch
nicht. Ihr sollt sofort das Haus verlassen.

Am darauffolgenden Tag um 14 Uhr wurden auch die 7 Schüler aus der anderen Filiale entlassen.
Wolfgang berichtet, daß die Verkaufsleitung sich darauf berufen habe, daß ,,mit der Schule abge-
macht worden ist, wenn in einem Haus irgendetwas passiert, irgendwas angestellt wird oder jemand
frech wird ... die ganzen Praktikanten entlassen werden." (An diese Absprache konnte sich zumindest der eine Lehrer nicht erinnern.)

Noch am Vormittag, als der Vorfall während der Schulung besprochen worden war, hätte der Verkaufsleiter gesagt ,,was drüben los ist" (gemeint ist die andere Filiale), ,,geht uns nichts an".

Eine Abordnung der Schule, bestehend aus Schulelternvertreterin, Klassenelternvertreterin, Karl-
Heinz, Angelika und den beiden Lehrern konnte im Gespräch mit der Verkaufsleitung des Bekleidungshauses wenig bewirken: ,,ist doch ein Betrieb nicht verpflichtet, Praktikanten aufzunehmen"
(der Lehrer).

Karl-Heinz gab erst in Anwesenheit der Verkaufsleitung auch gegenüber den Elternvertretern und
Lehrern zu, daß er versucht hatte, eine Bluse wegzunehmen.

Michael kommentiert: ,,War jedenfalls blöd von Kalle und Angelika, daß sie es gemacht haben,
denn sie hätten sich ja ausrechnen können, was denn passiert, daß wir vielleicht alle rausfliegen
können und so ... war wiederum doof von uns allen — einerseits gut andererseits doof — weil wir
nicht geglaubt haben, daß sie's waren, daß wir uns für sie eingesetzt haben, und andererseits, daß
wir uns nicht von ihnen distanziert haben."

Karin Seifert

Götz Aly: **"Wofür wirst du eigentlich bezahlt?"**
Möglichkeiten praktischer Erzieherarbeit zwischen Ausflippen und Anpassung
rotbuch 163, Rotbuch Verlag, Berlin 1977
Ungeschminkter Erfahrungsbericht eines Erziehers und Heimleiters. Geglückte und mißlungene
Projekte und der ewige Kampf gegen den Jugendamts-Leiter.

Wolfgang Bartels, Jens Hagen, Jochen Mandel, Fritz Noll u.a.: **Wir sind 16 und wollen nicht
stempeln**
Weltkreis Verlag 1976
Die Autoren schildern an Einzelbeispielen wie die ökonomische und psychische Belastung für
die aussieht, die vor dem Fabriktor bleiben. Sie zeigen in einzelnen Reportagen auf, welches
Bildungssystem die jugendlichen Arbeitslosen schafft, und wer trotz "Krise" nach wie vor seinen Reibach einstreicht.

Rainer Behrendt: **Methoden praktischer Bildung in der außerschulischen Jugendarbeit**
Schriftenreihe des Wannseeheims für Jugendarbeit, Berlin 1975, 1 Berlin 39, Hohenzollern-
straße 14
Systematische Übersicht über Methoden politischer Bildung im außerschulischen Bereich, aus-
gehend von praktischen Erfahrungen, die im Berliner Wannseeheim für Jugendarbeit e.V. gemacht wurden.

Werner Geifrig: **Stifte mit Köpfen**
Weismann Verlag & Verlag der Autoren 1973
Ein Lehrstück für Schulabgänger, Lehrlinge und junge Arbeiter, das sich kritisch mit den miserablen Ausbildungsverhältnissen in der Bundesrepublik auseinandersetzt und die Notwendigkeit
von solidarischem Handeln aufzeigt.

Frank Göhre: **Gekündigt**
Weismann Verlag 1974
In diesem Roman wird die Frage gestellt, warum ein Mädchen Selbstmord begeht. Diese Darstellung ist ein besonderes extremes Beispiel für die Situation der Lehrlinge in der BRD. Durch
die Zusammenstellung von Erzählung, persönlicher Berichterstattung, Dokumentation und Hinweisen auf wichtige Materialien zur Vertiefung dieses Themas entsteht ein Gesamtbild ihres Lebens, ihrer Beziehungen zu Freunden, ihrer Umwelt und zur Arbeit, das sich abgesehen von
Ausgang kaum unterscheidet von der Situation anderer Lehrlinge.

Jugendarbeitslosigkeit. Materialien und Analysen zu einem Problem
Hrsg. von Sybille Laturner und Bernhard Schön. Rowohlt Taschenbuch Verlag 1975
Die Autoren dieses Bandes kommen aus der gewerkschaftlichen Bildungsarbeit, der Sozialarbeit
und der Jugendverbandsarbeit. Ihre Erfahrungsberichte und praxisbezogenen Anregungen wenden sich an die Betroffenen selbst und bieten ihnen und den in der Sozialarbeit Tätigen konkre-
te Hilfe.

Jugendliche arbeitslos
Sonderheft 18-20 der Zeitschrift "Erziehung und Klassenkampf" Verlag Roter Stern, Frank-
furt/M. 1976
Untersuchung über die Entwicklung der Krise bis Ende 1974. Notwendig zur politischen Ein-
schätzung der Jugendarbeitslosigkeit.

Jugendliche in Neukölln I - IV
Probleme und Aufgaben der Jugendarbeit in einem Westberliner Arbeiterbezirk.
Hg.: Amt für Jugendarbeit im Kirchenkreis Neukölln 1975-77, 1 Berlin 44, Glasower Str. 58
Ausgezeichnetes Primär-Material von Jugendlichen, Erziehern, Heimleitern. Darstellung der
jugendpolitischen Konflikte und der Projekte in der Jugendarbeit. Nicht auf kirchliche Projek-
te beschränkt. Die Problematik ist typisch auch für Arbeiterbezirke in anderen Großstädten.

Hennig Kuhlmann: **Klassengemeinschaft**
rotbuch 131, Rotbuch Verlag, Berlin 1975
Kuhlmann beschreibt seine Erfahrungen als Hauptschullehrer zwischen Illusion und Resignation. Allen Hauptschullehrern zu empfehlen.

Marzahn, Schütte, Kamp: **Konflikt im Jugendhaus**
Fortbildung für Sozialarbeiter, Sozialpädagogen, Lehrer. Arbeitsmaterialien und Handlungsmodelle
rororo Sachbuch 6921, Rowohlt-Verlag, Reinbek 1975
Theorie und Praxis fortschrittlicher Jugendarbeit in Jugendhäusern, Jugendzentren und Jugendfreizeitheimen.

Upton Sinclair: **Co-Op**
Der Weg der amerikanischen Arbeitslosen zur Selbsthilfe
Association Verlag
Upton Sinclair schildert in diesem 1936 erschienenen Roman das Leben der amerikanischen Arbeiterklasse zur Zeit der großen Krise. Millionen von Arbeitslosen erfahren tagtäglich ihre Aussichtslose Situation, einen Job zu bekommen. Sie entschließen sich, selbst Arbeit zu schaffen. Der Roman schildert auf unsentimentale und realistische Weise das Elend der Arbeitslosen und ihre Bestrebungen nach Selbstorganisation, den inneren Schwierigkeiten um das Modell der Organisierung wie der äußeren durch Polizei und Kapital, die diese Versuche der Selbstorganisation zerschlagen wollen.

Elke Stark: **Die Lage der Arbeiterjugend in der Bundesrepublik nach 1960**
Europäische Verlagsanstalt, Frankfurt/M. 1973
140 Seiten statistisches Material.

Tu was! Warte nicht auf bess're Zeiten!
Hg. Ruhrfestspiele Recklinghausen/junges forum, Kunstamt Kreuzberg, Berlin. Elefanten Press Verlag, Berlin u. Hamburg 1978
Dokumentation anläßlich einer Ausstellung zum Thema Jugenarbeitslosigkeit. Texte, Fotos, Comics etc.

Werkkreis Literatur der Arbeitswelt: **Weg vom Fenster**
Über Entlassungen und Disziplinierungen
Fischer Taschenbuch Verlag 1976
In Erzählungen und Reportagen werden Entlassungen, Disziplinierungen, Jugendarbeitslosigkeit und Berufsverbote geschildert, die ganze Breite der Auswirkungen auf den einzelnen, seine Familie und Freizeit, seine materielle Not und Existenzangst. Es geht in diesem Buch jedoch nicht darum, die Niedergeschlagenheit und Hoffnungslosigkeit zu vergrößern, sondern aufzuzeigen, daß Entlassungen keine Schicksalsschläge schlechthin sind, daß solidarisches Handeln unabdingbar ist, um dem Ausgeliefertsein zu begegnen.

Inhaltsverzeichnis